W9-DEK-676

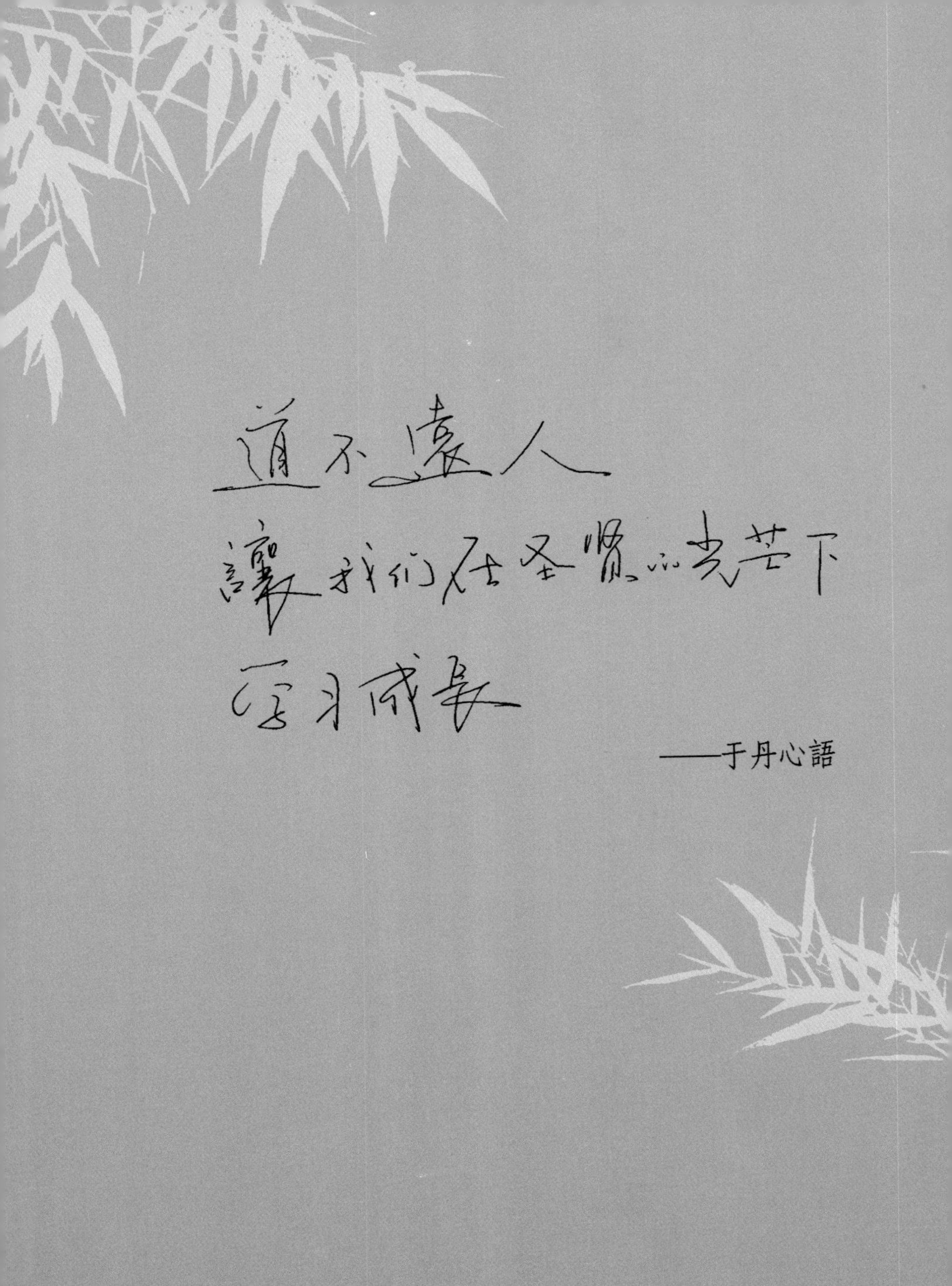

道不遠人
讓我们在圣贤的光芒下
学习成長

——于丹心語

于丹《論語》心得

于丹 著

序：灰色的孔子與多彩的世界

◎易中天

于丹白衣白裙，坐在一張黃色的長沙發上，旁邊是紅衫的央視主持人柴靜。我灰不溜丟地坐在她們的對面，準備提一些刁鑽古怪的問題。

這是二〇〇六年十一月十二日的下午，地點是「百家講壇」的演播室，話題則圍繞著于丹的「論語心得」展開。服裝未經設計，訪談也很自由。但我看著這一對桃紅李白，總不知孔老夫子見了會作何感想，便不懷好意地問：你們美女也喜歡孔子嗎？在你們這些美女的心目中，孔子是什麼樣的？

誰知于丹並不上當，應聲答道：我不主張從性別的角度去看孔子。在我的心目中，孔子只有溫度，沒有色彩。

好聰明的小妮子，好精彩的回答！我也立即回應：那我今天就有點兒像孔子了。

我這一身灰，等於沒有色彩。不過，灰色也有灰色的好處，那就是和任何色彩都能搭配，比如你們的鮮紅和潔白。

觀眾大笑。

訪談在笑聲中結束，我卻有點兒意猶未盡。事實上，我要問的問題是：孔子是不是眾人都需要的？如果是，那麼，他應該是什麼樣的？答案其實就在剛才的笑談中：一個大家都需要的孔子應該是灰色的。

我不知道于丹對於「色彩」和「溫度」的定義，但任何人都不可能沒有色彩。所謂「沒有色彩」，無非就是灰色。灰色的色彩感不強，可以視為不是色彩的色彩，但同時又是最具普適性的色彩，因為它可以和所有色彩搭配。所謂「需要一位灰色的孔子」，無非是說，在這個多元的時代，我們需要一位最具普適性的孔子。

實際上，真正偉大的思想絕不會只適用於一時一地或一人。它們總是具有普遍的意義，也應該具有普遍的意義。人們喜歡譏諷地說，生命之樹常青，而理論往往是灰色的。他們不知道，理論如果不是灰色的，就沒有普適性；而沒有普適性，也就沒有生命力。從這個意義上講，我們希望孔子是灰色的。或者說，我們願意把他看作是灰色的。

但是，沒有人會喜歡只有灰色的世界。灰色也只有在和其他色彩搭配時，才能顯示它的普適性，顯示它的高貴和純粹。因此，灰色的孔子又必須鏈接多彩的世界。這世界充滿生命活力，姹紫嫣紅，千姿百態，萬類霜天競自由。正因為有了生活的五彩繽紛，理論的灰色才不顯得死寂；也正因為有了思想的高貴純粹，紛繁的世界才不至於俗不可耐。灰色提升著品位，而多彩保證了活力。這也就是和諧。

于丹為我們講述的就是這樣的孔子，一位鏈接了多彩世界的灰色孔子。鏈接是廣泛的，東西南北，古今中外。主題卻是單純的，單純到沒有色彩，沒有性別，沒有時間和空間，只有溫度。

我不知道這是不是學者的孔子，也不知道這是不是歷史的孔子，更不知道這是不是真實的孔子。但我知道，這是我們的孔子、大眾的孔子、人民的孔子，也是永遠的孔子。

我們需要這樣的孔子。

我們歡迎這樣的孔子。

二〇〇六年十一月十三日夜

於北京──廈門途中

目次

于丹《論語》心得之一

天地人之道

宋代開國宰相趙普曾經標榜說，自己以半部《論語》治天下。

可見《論語》在古代社會生活和政治生活中發揮的巨大作用以及古人對《論語》的推崇。

這部曾被譽爲治國之本的《論語》，

對於我們現代社會，現代人的生活，還有什麼實際意義嗎？

子曰：「予欲無言。」
子貢曰：「子如不言，則小子何述焉？」
子曰：「天何言哉？四時行焉，百物生焉。天何言哉？」
——《論語．陽貨》

大家別以為，孔夫子的《論語》高不可及，現在我們必須得仰望它。這個世界上的真理，永遠都是樸素的，就好像太陽每天從東邊升起一樣；就好像春天要播種，秋天要收穫一樣。

《論語》告訴大家的東西，永遠是最簡單的。《論語》的真諦，就是告訴大家，怎麼樣才能過上我們心靈所需要的那種快樂的生活。

說白了，《論語》就是教給我們如何在現代生活中獲取心靈快樂，適應日常秩序，找到個人坐標。

它就是這麼一本語錄。兩千五百多年前，孔子教學和生活中的點點滴滴，被學生片片斷斷記錄下來。這些以課堂筆記為主的紀錄由他的學生彙集編纂，後來就成了《論語》。

我們會覺得，《論語》好像沒有很嚴密的邏輯性，很多是就事論事，裡面也很少有長篇大論的文字，幾乎每一則語錄都很簡短。

其實，無言也是一種教育。

子曰：「天何言哉？四時行焉，百物生焉。天何言哉？」（《論語．陽貨》）孔子對他的學生說，你看，蒼天在上，靜穆無言，而四季輪轉，萬物滋生。蒼天還需要說話嗎？

《論語》終極傳遞的是一種態度，是一種樸素的、溫暖的生活態度。孔夫子正是以此來影響他的弟子。

大家知道，孔子弟子三千，其中有七十二賢人。他們每個人都是一粒種子，把那種生活的態度、生活的智慧廣為傳播。

我們說孔夫子是聖人，聖人就是在他生活的這片土地上最有行動能力，最有人格魅力的人。

神聖神聖，神基本上是接近天空的，是像李白那樣的人；而聖是接近土地的，是像杜甫那樣的人。

孔聖人帶給我們的是一種在大地上生長的信念，他這樣的人一定是從我們的生活裡面自然生長脫胎出來，而不是從天而降的。

中國的創世神話是盤古開天闢地，但這個開闢不是像西方神話講的那種突變，比如說拿一把大斧子，啪，劈開，然後金光四射出現一個什麼樣的天地萬物，這不是中國人的敘事情感。

中國人習慣的敘事是像《三五曆紀》裡面描述的那樣，是一個從容、和緩而值得憧憬的漫長過程：

天地混沌如雞子，盤古生其中，萬八千歲。天地開闢，陽清為天，陰濁為地。盤古在其中，一日九變，神於天，聖於地。天日高一丈，地日厚一丈，盤古日長一丈。萬八千歲，天數極高，地數極深，盤古極長。

它說開始時「天地混沌如雞子」，盤古在裡面待了一萬八千年。後來天地分開了，但它不是作為一個固體「啪」地從中間斷裂，而是兩股氣逐漸分開，陽清之氣上升為天，陰濁之氣下降為地。

這並不是天地開闢的完成，這種成長才剛剛開始。

中國人是講究變化的。你看，盤古在天地之間「一日九變」，像一個新生的嬰兒，每天都在微妙地變化著。

這種變化最終達到了一個境界，叫做「神於天，聖於地。」

這六個字其實是中國人的人格理想：既有一片理想主義的天空，可以自由翱翔，

而不妥協於現實世界上很多的規則與障礙；又有腳踏實地的能力，能夠在這個大地上去進行他行為的拓展。

只有理想而沒有土地的人，是夢想主義者不是理想主義者；只有土地而沒有天空的人，是務實主義者不是現實主義者。

理想主義與現實主義就是我們的天和地。

盤古的變化還在繼續，這個故事還要接著講：

天地開闢之後，天每天升高一丈，地每天加厚一丈，盤古也「日長一丈」，跟著天地一塊兒長。

如此又過了一萬八千年，最後是「天數極高，地數極深，盤古極長」。人的意義跟天和地是一樣的，天地人並稱為「三才」。

所以，在孔子看來，人是值得敬重的，人又是應該自重的。

讀《論語》我們會發現，孔夫子教育學生時很少疾言厲色，他通常是用和緩的，因循誘導的，跟人商榷的口氣。這是孔夫子教學的態度，也是儒家的一種態度。

我們見到一些老師聲色俱厲，經常指責他的學生不該如何如何。那是這個老師沒有到境界，真正好的老師會像孔夫子這樣，平和地跟學生商量著把這種天地人三才共榮共生的關係講透。

這樣一種從容不迫的氣度，這樣一種謙抑的態度，其實正是中國人的人格理想。與西方不同，中國哲學崇尚的是一種莊嚴、理性和溫柔敦厚之美。《論語》中孔夫子的形象，就是這樣一種審美理想的化身。

在孔夫子這個形象身上，凝聚著他內心傳導出來的一種飽和的力量。這種力量就是後來孟子所說的「浩然之氣」。

只有當天地之氣凝聚在一個人心中的時候，它才能夠如此的強大。

> 《論語》的思想精髓就在於把天之大，地之厚的精華融入人的內心，使天、地、人成爲一個完美的整體，人的力量因而無比強大。
>
> 我們今天也常會說，天時、地利、人和是國家興旺、事業成功的基礎，這是《論語》對我們現代人的啓發。

我們永遠也不要忘記天地給予我們的力量。什麼叫天人合一？就是人在自然中的和諧。

我們努力創建和諧社會，而真正的和諧是什麼？

它絕不僅僅是一個小區鄰里間的和諧，也不僅僅是人與人之間的和諧，還一定包括大地上萬物和諧而快樂地共同成長；人對自然萬物，有一種敬畏，有一種順應，有一種默契。

這是一種力量，我們如果學會了提取鍛造這種力量，我們就能夠獲得孔夫子那樣的心胸。

我們看到，孔夫子的態度非常平和，而他的內心卻十分莊嚴。因為其中有一種強大的力量，那是信念的力量。孔夫子是一個特別講究信念的人。

他的學生子貢問，一個國家要想安定，政治平穩，需要哪幾條呢？這個故事在《論語》裡叫做「子貢問政」。

孔子的回答很簡單，只有三條：足兵，足食，民信之矣。

第一，國家機器要強大，必須得有足夠的兵力做保障。

第二，要有足夠的糧食，老百姓能夠豐衣足食。

第三，老百姓要對國家有信仰。

這個學生矯情，說三條太多了。如果必須去掉一條，您說先去什麼？

> 子貢問政。子曰：「足食，足兵，民信之矣。」
> 子貢曰：「必不得已而去，於斯三者何先？」曰：「去兵。」
> 子貢曰：「必不得已而去，於斯二者何先？」
> 曰：「去食。自古皆有死，民無信不立。」
>
> ——《論語．顏淵》

孔夫子說：「去兵。」咱就不要這種武力保障了。

子貢又問，如果還要去掉一個，您說要去掉哪個？

孔夫子非常認真地告訴他：「去食。」我們寧肯不吃飯了。

接著他說：「自古皆有死，民無信不立。」

沒有糧食無非就是一死，從古而今誰不死啊？所以死亡不是最可怕的。最可怕的是國民對這個國家失去信仰以後的崩潰和渙散。

物質意義上的幸福生活，它僅僅是一個指標；而真正從內心感到安定和對於政權的認可，則來自於信仰。

這就是孔夫子的一種政治理念，他認為信仰的力量足以把一個國家凝聚起來。

現在有一種說法，說二十一世紀評估各個國家人民生活得好與不好，已經不是過去簡簡單單GNP（國民生產總值）一個標準，還要看GNH，就是Gross National Happiness，國民幸福指數。

也就是說，評估一個國家是不是真正富強，不能單純看國民生產總值的絕對量和增長速度，更要看每一個老百姓內心的感受——他覺得安全嗎？他快樂嗎？他對他的生活真正有認同嗎？

中國在上個世紀八十年代末曾經參加過一次國際調查，資料顯示，當時國民的幸福指數只有百分之六十四左右。

一九九一年再次參加調查，這個幸福指數提升了，到了百分之七十三左右。這得益於物質生活條件的提升和很多改革措施的實施。

但等到一九九六年再參加調查時，發現這個指數下跌到了百分之六十八。

這是一件很令人困惑的事情。它說明，即使一個社會物質文明極大繁榮，享受著這種文明成果的現代人仍然有可能存在極為複雜的心靈困惑。

讓我們回到兩千五百多年以前，看看就在那樣一個物質匱乏的時代，那些聖賢是什麼樣子。

孔夫子最喜歡的一個學生叫顏回，他曾經誇獎這個學生說：「賢哉，回也！一簞食，一瓢飲，在陋巷。人不堪其憂，回也不改其樂。賢哉，回也！」（《論語・雍也》）就是說，顏回家裡很窮，缺衣少食，住在非常破爛的小巷子裡。這麼艱苦的生活對別人來說簡直難以忍受，而顏回卻能夠自得其樂。

也許很多人會說，生活就是這樣，窮日子富日子都得過，那有什麼辦法？

顏回真正令人敬佩的，並不是他能夠忍受這麼艱苦的生活境遇，而是他的生活態度。在所有人都以這種生活為苦，哀歎抱怨的時候，顏回卻不改變他樂觀的態度。

只有真正的賢者，才能不被物質生活所累，才能始終保持心境的那份恬淡和安寧。

誠然，誰都不願意過苦日子，但是單純依靠物質的極大豐富同樣不能解決心靈的問題。

我們的物質生活顯然在提高，但是許多人卻越來越不滿了。因為他看到周圍總還有乍富的階層，總還有讓自己不平衡的事物。

其實，一個人的視力本有兩種功能：一個是向外去，無限寬廣地拓展世界；另一個是向內來，無限深刻地去發現內心。

我們的眼睛，總是看外界太多，看心靈太少。

孔夫子能夠教給我們的快樂秘訣，就是如何去找到你內心的安寧。

人人都希望過上幸福快樂的生活，而幸福快樂只是一種感覺，與貧富無關，同內心相連。

子貢曰：「貧而無諂，富而無驕，何如？」
子曰：「可也。未若貧而樂，富而好禮者也。」
子貢曰：「《詩》云，『如切如磋，如琢如磨』，其斯之謂與？」
子曰：「賜也，始可與言《詩》已矣，告諸往而知來者。」
——《論語・學而》

在《論語》中，孔夫子告訴他的學生應該如何去尋找生活中的快樂。這種思想傳承下來，對歷史上許多著名的文士詩人都產生了巨大的影響。

子貢曾經問老師：「貧而無諂，富而無驕，何如？」假如一個人很貧賤，但他不向富人諂媚；一個人很富貴，但他不傲氣凌人。這怎麼樣？

老師說，這很不錯。但還不夠。還有一個更高的境界，叫做「貧而樂，富而好禮者也。」

更高的境界是，一個人不僅安於貧賤，不僅不諂媚求人，而且他的內心有一種清亮的歡樂。這種歡樂，不會被貧困的生活所剝奪，他也不會因為富貴而驕奢，他依然是內心快樂富足、彬彬有禮的君子。

這是多高的驕傲啊！一個人能夠不被富足的生活蠱惑，又能在貧賤中保持著做人的尊嚴和內心的快樂。

這樣一種儒家思想傳承下來，使我們歷史上又出現了很多內心富足的君子。東晉大詩人陶淵明就是其中之一。

我們的眼睛，
看外界太多，看心靈太少。
——于丹心語

陶淵明曾經當過八十三天的彭澤令，那是一個很小的官。而一件小事，便讓他棄官回家。

有人告訴他，上級派人檢查工作，您應當「束帶見之」。就如同今天，你要穿正裝，繫領帶，恭敬地去見主管。

陶淵明說，我不能為五斗米向鄉里小兒折腰。就是說，他不願意為了保住這點做官的「薪水」而向人低三下四。於是把佩印留下，自己回家了。

回家的時候，他把自己的心情寫進了〈歸去來兮辭〉。

他說，「既自以心為形役，奚惆悵而獨悲」。我的心靈已經成了身體的奴僕，無非是為了吃得好一點，住得好一點，就不得不向人低三下四、阿諛奉承，我的心靈受了多大委屈啊！

他不願意過這樣的生活，「悟已往之不諫，知來者之可追」，於是就回歸到自己的田園。

陶淵明的意義，不在於在詩中構置了一個虛擬的田園，更重要的是，他讓每一個人心裡都開出了一片樂土。

子貢問曰：「有一言而可以終身行之者乎？」
子曰：「其恕乎！己所不欲，勿施於人。」
——《論語・衛靈公》

安貧樂道，在現代人眼中頗有些不思進取的味道。在如此激烈的競爭面前，每個人都在努力發展著自己的事業，收入多少、職位高低，似乎成了一個人成功與否的標誌。

但越是競爭激烈，越是需要調整心態，並且調整與他人的關係。那麼，在現代社會，我們應該如何爲人呢？

又是子貢，問了老師一個非常大的問題，他說：「有一言而可以終身行之者乎？」您能告訴我一個字，使我可以終身實踐，並且永久受益嗎？

老師以商量的口氣對他說：「其恕乎！」如果有這麼個字，那大概就是「恕」字吧。

什麼叫「恕」呢？老師又加了八個字的解釋，叫做「己所不欲，勿施於人」。就是你自個兒不想幹的事，你就不要強迫別人幹。人一輩子做到這一點就夠了。

什麼叫「半部《論語》治天下」？有時候學一個字兩個字，就夠用一輩子了。

這才是真正的聖人，他不會讓你記住那麼多，有時候記住一個字就夠了。

子曰：「參乎！吾道一以貫之。」曾子曰：「唯。」子出。門人問曰：「何謂也？」曾子曰：「夫子之道，忠恕而已矣。」
——《論語・里仁》

孔子的學生曾子也曾經說過：「夫子之道，忠恕而已矣。」說我老師這一輩子學問的精華，就是「忠恕」這兩個字了。簡單地說，就是要做好自己，同時要想到別人。

拓展一點說，「恕」字是講你不要強人所難，不要給別人造成傷害。言外之意是假如他人給你造成了傷害，你也應該盡量寬容。

但是，真正做到寬容談何容易。有很多時候，一個事情本來已經過去了，而我們還是老在那兒想，這麼可惡的事，我怎麼能原諒它呢？然後就在不斷的自我咀嚼中，一次一次再受傷害。

佛家有一個有意思的小故事：

小和尚跟老和尚下山化緣，走到河邊，見一個姑娘正發愁沒法過河。老和尚對姑娘說，我把你背過去吧。於是就把姑娘背過了河。

小和尚驚得瞠目結舌，又不敢問。這樣又走了二十里路，實在忍不住了，就問老和尚說，師父啊，我們是出家人，你怎麼能背著那個姑娘過河呢？

老和尚就淡淡地告訴他，你看我把她背過河就放下了，你怎麼背了二十里地還沒放下？

你寬容一點，
其實給自己留下來一片海闊天空。
——于丹心語

這個故事的道理其實和孔夫子教給大家的一樣，該放下時且放下，你寬容別人，其實是給自己留下來一片海闊天空。

所以什麼叫「仁者不憂」呢？就是讓你的胸懷無限大，很多事情自然就小了。

在生活中，每個人都有可能遭遇失業、婚變、朋友背叛、親人離去等等這些事情，它對你是大事還是小事，沒有客觀標準。

這就如同劃個一寸長的口子，算大傷還是小傷？如果是一個嬌滴滴的小姑娘，她能邪乎一星期；如果是一個粗粗拉拉的大小夥子，他可能從受傷到這個傷好，一直都不知道。

所以，我們的內心究竟是做一個嬌滴滴的「小姑娘」，還是一個粗粗拉拉的「大小夥子」，完全可以由自己決定。

其實，《論語》告訴我們的，不僅遇事要拿得起放得下，還應該盡自己的能力去幫助那些需要幫助的人。所謂「予人玫瑰，手有餘香」，給予比獲取更能使我們心中充滿幸福感。

> 樊遲問仁。子曰：「愛人。」問知。子曰：「知人。」
> 樊遲未達。子曰：「舉直錯諸枉，能使枉者直。」
> 樊遲退，見子夏曰：「鄉也吾見於夫子而問知，
> 子曰：『舉直錯諸枉，能使枉者直。』何謂也？」
> 子夏曰：「富哉言乎！舜有天下，選於眾，舉皋陶，不仁者遠矣。
> 湯有天下，選於眾，舉伊尹，不仁者遠矣。」　　——《論語・顏淵》

大家知道，儒家理論的核心和最最精髓的東西，除了「恕」字以外，還有一個是「仁」字。

孔子的學生樊遲曾經畢恭畢敬地去問老師什麼叫仁？老師只告訴他兩個字：「愛人」。愛別人就叫仁。

樊遲又問什麼叫智？老師說：「知人。」了解別人就叫智慧。

關愛別人，就是仁；了解別人，就是智。就這麼簡單。

那麼，怎樣做一個有仁愛之心的人呢？

孔子說：「己欲立而立人，己欲達而達人。能近取譬，可謂仁之方也已。」（《論語・雍也》）

你自己想有所樹立，馬上就想到也要讓別人有所樹立；你自己想實現理想，馬上就會想到也要幫助別人實現理想。能夠從身邊小事做起，推己及人，這就是實踐仁義的方法。

我記得大學英語課本上，有一則西方哲人寫的小寓言，說有一個國王每天都在思考三個最最終極的哲學問題：在這個世界上，什麼人最重要？什麼事最重要？什麼時間做事最重要？

關愛別人，就是仁慈；
了解別人，就是智慧。
——于丹心語

就這三個問題，舉朝大臣，沒人能夠回答得出來。

他很苦悶。後來有一天，出去微服私訪，走到一個很偏遠的地方，投宿到一個陌生的老漢家。

半夜裡，他被一陣喧鬧聲驚醒，發現一個渾身是血的人闖進老漢家。

那個人說，後面有人追我。老漢說，那你就在我這兒避一避吧。就把他藏起來了。

國王嚇得不敢睡，一會兒看見追兵來了。追兵問老漢，有沒有看到一個人跑過來？老頭說，不知道，我家裡沒有別人。

後來追兵走了，那個被追捕的人說了一些感激的話也走了。老漢關上門繼續睡覺。

第二天國王問老漢說，你為什麼敢收留那個人？你就不怕惹上殺身之禍？而且你就那麼放他走了，你怎麼不問他是誰呢？

老漢淡淡地跟他說，在這個世界上，最重要的人就是眼下需要你幫助的人，最重要的事就是馬上去做，最重要的時間就是當下，一點不能拖延。

那個國王恍然大悟，他那三個久思不解的哲學問題，一下都解決了。

這個故事，又可以做《論語》的注腳。

實際上，孔子也罷，莊子也罷，陶淵明、蘇東坡直至泰戈爾，古今中外聖賢的意義是什麼呢？就是用他們對生活的體驗，總結出一些對我們每個人都有用的道理。這些道理不是那些磚頭一樣的典籍，讓你要拿著放大鏡，翻著《辭海》去讀，非常吃力地去參悟一輩子。

真正的聖賢不會端起架子、板著面孔說話。他們把活潑潑的人生經驗，穿越滄桑，傳遞到今天，讓我們仍然覺得溫暖；而他們在千古之前，緘默地微笑著、注視著，看我們仍然在他們的言論中受益而已。

心靈之道

于丹《論語》心得之二

每個人的一生中都難免有缺憾和不如意，

也許我們無力改變這個事實，而我們可以改變的是看待這些事情的態度。

《論語》的精華之一，就是告訴我們，

如何用平和的心態來對待生活中的缺憾與苦難。

兩千五百多年前的《論語》，眞的能開解現代人的心結嗎？

司馬牛憂曰：「人皆有兄弟，我獨亡！」
子夏曰：「商聞之矣：死生有命，富貴在天。君子敬而無失，與人恭而有禮，四海之內，皆兄弟也。君子何患乎無兄弟也？」
——《論語・顏淵》

人生百年，孰能無憾？人這一生中總會遇到這樣那樣不如意的事情。

孔夫子弟子三千，七十二賢人，這麼多學生，也是家家都有為難的事情。那麼他們是怎樣看待人生遺憾的呢？

孔子的學生司馬牛有一天憂傷地說：別人都有兄弟，偏偏我沒有！

他的同學子夏就勸導他說：「商聞之矣：死生有命，富貴在天。君子敬而無失，與人恭而有禮，四海之內，皆兄弟也。君子何患乎無兄弟也？」

子夏稱自己的名字叫「商」。他的話分幾個層次：

既然死生、富貴這些事情都是天命所歸，個人無法決定，也無法左右，那就要學會承認並且順應。

但保持一顆誠敬的心，使自己的言行減少過失，對待他人充分尊重、謙恭有禮，卻是可以通過提高自身修養做到的。

一個人能做好自己，那麼普天下的人都會愛敬你如同手足兄弟。

所以，做一個有良好修養的真君子，又何愁沒有兄弟呢？

儘管這段話不是出自孔子之口，但也代表了《論語》所倡導的一種價值觀念：人首先要能夠正確面對人生的遺憾，要在最短的時間內接受下來。不要糾纏在裡面，一遍一遍地問天問地，這樣只能加重你的苦痛。

第二個態度是，要盡可能地用自己所可以做的事情去彌補這個遺憾。

> 承認現實生活中的不足之處，並通過自己的努力去彌補這種不足，這就是《論語》告訴我們對待生活缺憾的態度。
>
> 如果一個人不能接受這些遺憾，將會導致什麼樣的後果呢？

一種遺憾，其實可以被放得很大很大。放大遺憾的後果是什麼呢？那就將如印度詩哲泰戈爾所說：「如果你因為錯過太陽而哭泣，那麼你也將錯過星星了。」

我曾經看到過一個報刊的轉載，寫的是英國著名網球明星吉爾・吉爾伯特（Gem Gilbert）的故事。

這個女孩子小的時候經歷過一次意外：

一天，她跟著媽媽去看牙醫，這本來是個很小的事情，她以為一會兒就可以跟媽媽回家了。但是我們知道，牙病是會引發心臟病的。可能她的媽媽之前沒有檢查出來存在這種隱憂，結果讓小女孩看到的是驚人的一幕：她的媽媽竟然死在了牙科的手術椅上！

這個陰影在她的心中一直存在著。也許她沒有想到要看心理醫生，也許她從沒有想過應該根治這個傷痛，她能做的就是回避、回避、永遠回避，在牙痛的時候從來不敢去看牙醫。

後來她成了著名的球星，過上了富足的生活。有一天她被牙病折磨得實在忍受不了，家人都勸她，就請牙醫到家裡來吧，咱們不去診所，這裡有你的私人律師，私人醫生，還有所有親人陪著你，你還有什麼可怕的呢？於是請來了牙醫。

意外的事情發生了：正當牙醫在一旁整理手術器械、準備手術的時候，一回頭，吉姆．吉爾伯特已經死去。

當時倫敦的報紙，記述這件事情時用了這樣一句評價：吉姆．吉爾伯特是被四十年來的一個念頭殺死的。

這就是心理暗示的力量。一個遺憾能被放大到多大呢？它可以成為你生命中一個陰影，影響到你的生命質量。

當然很多人不見得會面臨上述這種極端的例子，但大家一定聽到過這樣的說法，一個人在憤怒或憂慮的時候，如果用一個測量儀來檢測你呼出來的空氣，它是灰色

的，其中的二氧化碳會特別多。所以，長期困擾於人生的遺憾不能自拔，對一個人的生命質量是會有所損害的。

> 既然生活中的缺憾不能避免，那麼用什麼樣的心態來對待這種缺憾就非常重要了。心態不同，也許會帶來完全不同的生活質量。

有一個寓言，它說在某小鎮上有一個非常窮困的女孩子，她失去了父親，跟媽媽相依為命，靠做手工維持生活。她非常自卑，因為從來沒穿戴過漂亮的衣服和首飾。在這樣極為貧寒的生活中，她長到了十八歲。

在她十八歲那年的耶誕節，媽媽破天荒給了她二十美元，讓她用這個錢給自己買一份耶誕禮物。

她大喜過望，但是還沒有勇氣從大路上大大方方地走過。她捏著這點錢，繞開人群，貼著牆角朝商店走。

一路上她看見所有人的生活都比自己好，心中不無遺憾地想，我是這個小鎮上最抬不起頭來、最寒磣的女孩子。看到自己特別心儀的小夥子，她又酸溜溜地想，今天晚上盛大的舞會上，不知道誰會成為他的舞伴呢？

她就這樣一路嘀嘀咕咕躲著人群來到了商店。一進門，她感覺自己的眼睛都被刺痛了，她看到櫃檯上擺著一批特別漂亮的緞子做的頭花、髮飾。

正當她站在那裡發呆的時候，售貨員對她說，小姑娘，你的亞麻色的頭髮真漂亮！如果配上一朵淡綠色的頭花，肯定美極了。她看到價簽上寫著十六美元，就說：「我買不起，還是不試了。」但這個時候售貨員已經把頭花戴在了她的頭上。

售貨員拿起鏡子讓她看看自己。當這個姑娘看到鏡子裡的自己時，突然驚呆了，她從來沒看到過自己這個樣子，她覺得這一朵頭花使她變得容光煥發！

她不再遲疑，掏出錢來買下了這朵頭花。她的內心無比陶醉、無比激動，接過售貨員找的四美元後，轉身就往外跑，結果在一個剛剛進門的老紳士身上撞了一下。她彷彿聽到那個老人叫她，但已經顧不上這些，就一路飄飄忽忽地往前跑。

她不知不覺就跑到了小鎮最中間的大路上，她看到所有人投給她的都是驚訝的目光，她聽到人們在議論說，沒想到這個鎮子上還有如此漂亮的女孩子，她是誰家的孩子呢？她又一次遇到了自己暗暗喜歡的那個男孩，那個男孩竟然叫住她說：不知今天晚上我有沒有這個榮幸請你做我耶誕舞會的舞伴？

子曰：「君子道者三，我無能焉：仁者不憂，知者不惑，勇者不懼。」子貢曰：「夫子自道也。」

——《論語・憲問》

這個女孩子簡直心花怒放！她想我索性就奢侈一回，用剩下的這四塊錢回去再給自己買點東西吧。於是她又一路飄飄然地回到了小店。

剛一進門，那個老紳士就微笑著對她說，孩子，我就知道你會回來的，你剛才撞到我的時候，這個頭花也掉下來了，我一直在等著你來取。

這個故事結束了。真的是一朵頭花彌補了這個女孩生命中的缺憾嗎？其實，彌補缺憾的是她自信心的回歸。

而一個人的自信心來自哪裡？它來自內心的淡定與坦然。

孔子說：「仁者不憂，智者不惑，勇者不懼。」（《論語・憲問》）內心的強大可以化解生命中很多很多遺憾。

要做到內心強大，一個前提是要看輕身外之物的得與失。太在乎得失的人，被孔子斥為「鄙夫」。

鄙夫，意義幾乎等同於小人，就是不上檯面的鄙陋的人。

孔子曾經說過，像這樣的小人你能讓他去謀劃國家大事嗎？不能。這樣的人在沒有得到利益時抱怨不能得到，得到了以後又害怕會失去。既然害怕失去，那就會不擇手段維護既得利益。

子曰：
「鄙夫可與事君也與哉？其未得之也，患不得之；既得之，患失之。苟患失之，無所不至矣。」
——《論語．陽貨》

這種患得患失的人，不會有開闊的心胸，不會有坦然的心境，也不會有真正的勇敢。

什麼是眞正的勇敢？它和匹夫之勇有怎樣的區別？《論語》中對於「勇敢」有怎樣的詮釋？

大家知道，孔子有一個學生叫子路，他很率性，對於勇敢的事情老是特別在乎。孔夫子曾經調侃說，假如有一天我的大道在這個世界上推行不了，我就要自己泛舟江海去了。到那時還能跟隨我的，大概就是子路吧。

子路聽到這個話非常得意。結果老師後面還有一句話說，我之所以這麼說，就是因為子路這個人除了勇敢，別的什麼都沒有。（《論語．公冶長》）「好勇」是子路的特點，但他的勇敢又缺少點內涵。

偏偏有一天，子路真的去問老師說：「君子尚勇乎？」君子應不應該崇尚勇敢呢？

孔子對他說：「君子義以為上。君子有勇而無義為亂，小人有勇而無義為盜。」

（《論語・陽貨》）

意思是說，君子崇尚勇敢並沒有錯，但這種勇敢是有約制的，有前提的，這個前提就是「義」。有了義字當先的勇敢，才是真正的勇敢。否則，一個君子會以勇犯亂，一個小人會因為勇敢淪為盜賊。

我們想想，小偷劫匪穿門打戶，甚至越貨殺人，你能說他不勇敢嗎？但是這種沒有道義約束的勇敢是世界上最大的災害。

那麼這個「義」、「道義」又是什麼呢？

那是一種內心的約制。孔子說：「以約失之者，鮮矣！」（《論語・里仁》）一個人內心有所約制，就會在行為上減少過失。

假如一個人真能做到一日「三省吾身」（《論語・學而》），真能「見賢思齊焉，見不賢而內自省也」（《論語・里仁》），就做到了約制。而能夠反省自己的錯誤並且勇於改正，這就是儒者所倡導的真正的勇敢。

後來蘇軾在〈留侯論〉中也曾經論述過勇敢，他把那種真正的勇敢叫做「大勇」。他說：

> 子曰：
> 「道不行，乘桴浮於海。從我者，其由與？」
> 子路聞之喜。子曰：「由也好勇過我，無所取材。」
> ——《論語・公冶長》

古之所謂豪傑之士者，必有過人之節。人情有所不能忍者，匹夫見辱，拔劍而起，挺身而鬥，此不足為勇也。天下有大勇者，卒然臨之而不驚，無故加之而不怒。此其所挾持者甚大，而其志甚遠也。

在蘇軾看來，真正的勇者有一種「過人之節」，他們能夠忍受像韓信那樣的胯下之辱，而成就輔佐劉邦決勝千里、掃平天下那樣的大業。他不會像平常人逞一時之勇，圖一時之快。這是因為他的內心有一種在理性制約下的自信與鎮定，這是因為他有著寬廣的胸懷和高遠的志向。

所謂「卒然臨之而不驚，無故加之而不怒」，是很難做到的。我們可以要求自己做一個有修養的道德君子，不去冒犯別人，但當別人沒有任何緣由地時常冒犯你，你能做到不怒嗎？

我們經常看到的是這種情況：

比如一個人在星期一莫名其妙地遭了一頓暴打，他星期二就開始向各個朋友複述這件事，到星期三的時候，他已經鬱悶得不想出去見人了，到星期四的時候就開始找碴兒跟家人吵架了……

做一個勇敢的人，
用生命的力量去化解那些遺憾。
——于丹心語

沒有道德約束的勇敢是這個世界上最大的災害。
——于丹心語

其實這意味著什麼呢？意味著你每複述一遍就像又被打了一頓，意味著事情過去之後，你每天還在繼續挨打。

當一個不幸降臨了，最好的辦法就是讓它盡快過去，這樣你才會騰出更多的時間去做更有價值的事情，你才會活得更有效率，更有好心情。

> 這個小故事告訴我們，生活中會有許多不如意甚至不合理，也許憑我們個人的力量無法改變，但我們卻可以改變自己的心情和態度。從某種意義上說，一個人心中有什麼，他看到的就是什麼。

宋人的筆記中記載過蘇軾與佛印交往的故事。蘇軾是個大才子，佛印是個高僧，兩人經常一起參禪、打坐。佛印老實，老被蘇軾欺負。蘇軾有時候占了便宜很高興，回家就喜歡跟他那個才女妹妹蘇小妹說。

一天，兩人又在一起打坐。

蘇軾問：你看看我像什麼啊？

佛印說：我看你像尊佛。

蘇軾聽後大笑，對佛印說：你知道我看你坐在那兒像什麼？就活像一攤牛糞。這一次，好像佛印又吃了啞巴虧。

蘇軾回家就在蘇小妹面前炫耀這件事。

蘇小妹冷笑一下對哥哥說，就你這個悟性還參禪呢，你知道參禪的人最講究的是什麼？是明心見性，你心中有眼中就有。佛印說看你像尊佛，那說明他心中有尊佛；你說佛印像牛糞，想想你心裡有什麼吧！

這個故事適用於我們每個人。大家想想，為什麼我們一樣在這個世界上生活，有些人活得歡欣而溫暖，有些人卻整天指責抱怨？他們的生活真的相差那麼遠嗎？

其實就像我們面前有半瓶子酒，悲觀主義者說，這麼好的酒怎麼就剩半瓶了！樂觀主義者則說，這麼好的酒還有半瓶呢！表述不同，緣於心態不同。

在今天這麼一個競爭激烈的時代，保持良好的心態比歷史上任何一個時期都更加重要。

孔子說：「君子泰而不驕，小人驕而不泰。」（《論語・子路》）君子因為有心態的平和、安定和勇敢，他的安詳舒泰是由內而外的自然流露；小人表現出來的則是故作姿態，驕矜傲人，因為他內心多的是一股躁氣，氣度上便少了一份安閒。

勇敢有時候表現為一種
理性制約下內心的自信與鎮定。
——于丹心語

小人之驕，驕傲的是他外在的氣；
而君子之驕，驕傲的是內心的風骨。
——于丹心語

我曾經在鈴木大拙的書中讀到一則故事。故事的主人翁是日本江戶時期的一個著名的茶師，這個茶師跟隨著一個顯赫的主人。大家知道，日本提倡的是茶禪一體，茶道與參禪是二而一的過程。

有一天主人要去京城辦事，捨不得離開茶師，就說，你跟我去吧，好每天給我泡茶。

那可是一個社會很不穩定的時期，浪人、武士依恃強力橫行無忌。

這個茶師很害怕，對主人說，您看我又沒有武藝，萬一路上遇到點事可怎麼辦？

主人說，你就挎上一把劍，扮成武士的樣子吧。

茶師只好換上武士的衣服，跟著主人去了京城。

一天，主人出去辦事，茶師就一個人在外面蹓躂。

這時迎面走來一個浪人，向茶師挑釁說，你也是武士，那咱倆比比劍吧。

茶師說，我不懂武功，只是個茶師。

浪人說，你不是一個武士而穿著武士的衣服，就是有辱尊嚴，你就更應該死在我的劍下！

茶師一想，躲是躲不過去了，就說，你容我幾小時，等我把主人交辦的事做完，今天下午我們在池塘邊見。

浪人想了想答應了，說那你一定來。

這個茶師直奔京城裡面最著名的大武館，他看到武館外聚集著成群結隊前來學武的人。茶師分開人群，直接來到大武師的面前，對他說，求您教給我一種作為武士的最體面的死法吧！

大武師非常吃驚，他說，來我這兒的所有人都是為了求生，你是第一個求死的。這是為什麼？

茶師把與浪人相遇的情形複述了一遍，然後說，我只會泡茶，但是今天不能不跟人家決鬥了。求您教我一個辦法，我只想死得有尊嚴一點。

大武師說，那好吧，你就再為我泡一遍茶，然後我再告訴你辦法。

茶師很是傷感，他說，這可能是我在這個世界上泡的最後一遍茶了。

他做得很用心，很從容地看著山泉水在小爐上燒開，然後把茶葉放進去，洗茶，濾茶，再一點一點地把茶倒出來，捧給大武師。

大武師一直看著他泡茶的整個過程，他品了一口茶說，這是我有生以來喝到的最好的茶了，我可以告訴你，你已經不必死了。

茶師說，您要教給我什麼嗎？

大武師說，我不用教你，你只要記住用泡茶的心去面對那個浪人就行了。

這個茶師聽後就去赴約了。浪人已經在那兒等他，見到茶師，立刻拔出劍來說，你既然來了，那我們開始比武吧！

茶師一直想著大武師的話，就以泡茶的心面對這個浪人。只見他笑著看定了對方，然後從容地把帽子取下來，端端正正放在旁邊；再解開寬鬆的外衣，一點一點疊好，壓在帽子下面；又拿出綁帶，把裡面的衣服袖口紮緊；然後把褲腿紮緊……他從頭到腳不慌不忙地裝束自己，一直氣定神閑。

對面這個浪人越看越緊張，越看越恍惚，因為他猜不出對手的武功究竟有多深。對方的眼神和笑容讓他越來越心虛。

等到茶師全都裝束停當，最後一個動作就是拔出劍來，欻，把劍揮向了半空，然後停在了那裡，因為他也不知道再往下該怎麼用了。

此時浪人噗通就給他跪下了，說，求您饒命，您是我這輩子見過的最有武功的人。

其實，是什麼樣的武功使茶師取勝呢？就是心靈的勇敢，是那種從容、篤定的氣勢。

所以技巧不是最重要的，而技巧之外的東西則需要我們用心靈去感悟。如果你的心很敞亮，很仁厚，你有一種坦率和勇敢，那麼你可能會有許多意想不到的收穫。每個人都願意把美好的東西告訴你；但是如果你與此相反，那麼即使是有教無類的孔子，他也不見得會對牛彈琴。

孔子說過，一個人能夠聽你講道理但是你沒去跟他講，就叫「失人」，你就把這個人錯過了，不好；相反，假如這個人根本就不可理喻而你偏和他講道理，那就叫「失言」，也不好。

你要想做一個別人願意和你交流，也可以和你交流的人，最關鍵的是你要有一個敞亮的心懷。這就是《論語》中所提倡的「坦蕩蕩」的心境。

這種心境和胸懷，既可以彌補你先天的遺憾，也可以彌補你後天的過失；同時能使你有定力，有真正的勇敢，使你的生命飽滿、充盈，讓你有一種大歡欣，讓你的人生有最大的效率，讓你的每天進行著新鮮的輪迴，並且把這些新鮮的養分疏導給他人。

《論語》給我們的，永遠是一個人生動態的系統，我們不可以斷章取義、不可以

> 子曰：
> 「可與言而不與之言，失人；
> 不可與言而與之言，失言。知者不失人，亦不失言。」
> ——《論語‧衛靈公》

僵死地去理解。這些古聖先賢的思想精華，當在你的血液中流動起來的時候，你歡欣的態度本身就是我們今人對於古典最高的致敬！

處世之道

于丹《論語》心得之三

現代社會人與人的關係可以說更近了，也可以說更遠了，
但無論如何，人際關係是每一個人必須面對的問題。
當遇到不公平的待遇時，我們該保持什麼樣的心態？
面對自己親近的人，我們又該掌握什麼樣的原則？
在紛繁複雜的社會環境中，我們怎樣才能處理好人際關係呢？

或曰：「以德報怨，何如？」
子曰：「何以報德？以直報怨，以德報德。」
——《論語・憲問》

《論語》這部書，教給我們很多處世的方法、做人的規矩。這些道理看起來很樸素，這些辦法有時候在原則中透著一些變通。

簡單地說，它告訴我們的是做事的原則和把握原則裡的分寸。

我們常常會說，什麼事情該做，什麼事情不該做；什麼事情是好的，什麼事情是壞的。

其實，很多時候對一個事情的判定，並不能簡單地以應該不應該和好不好來區分。你什麼時間做這件事，把這件事做到什麼程度，會直接影響到這件事的性質。

孔子特別強調做事情的分寸，「過」和「不及」都是要盡力避免的。

孔子提倡仁愛，但他並不認為應當以喪失原則的仁愛之心去寬宥所有人的過失。

有人問他：「以德報怨，何如？」

孔子的回答是：「以直報怨，以德報德。」

孔子給出的答案讓我們乍聽起來有點出乎意料，其實這正是孔子告訴我們的處世的分寸。

孔夫子在這裡提倡的是一種人生的效率和人格的尊嚴。

他當然不贊成以怨報怨。如果永遠以一種惡意、一種怨恨去面對另外的不道德，那麼這個世界將是惡性循環，無止無休。我們失去的將不僅是自己的幸福，還有子孫的幸福。

而以德報怨同樣不可取。也就是說，你獻出太多的恩德，太多的慈悲，你用不值得的仁厚去面對已經有負於你的人和事，這也是一種人生的浪費。

在兩者之外，還有第三種態度，就是用你的公正，用你的率直，用你的耿介，用你的磊落，也就是說，用自己高尚的人格，坦然面對這一切。

孔夫子的這種態度，就是告訴我們，要把有限的情感，有限的才華，留在最應該使用的地方。

今天我們都在說避免資源的浪費，卻忽視了心靈的荒蕪和自身生命能量的浪費。物質的繁榮，生活節奏的加快，更要求我們在面對一件事情時，要迅速地做出判斷，選擇屬於自己的、最有價值的生活方式。

> 我們在生活中常常有這樣的困惑：
>
> 父母對孩子關愛得無微不至，卻常常招致孩子的反感；

親密無間的好朋友，卻常常做出彼此傷害的事情來；
有時費盡心機想和主管、同事拉近關係，卻常常適得其反。
爲什麼會這樣？

怎樣的關係才能稱作「好」呢？

孔夫子認為，太過疏遠和太過親密都不是最佳狀態，所謂「過猶不及」。為什麼兩個人很親密卻不是相處的最佳狀態呢？

孔子的學生子游說：「事君數，斯辱矣；朋友數，斯疏矣。」（《論語・里仁》）「數」（ㄕㄨㄛˋ）是「屢次」的意思。如果你有事沒事總是跟在國君（主管）旁邊，雖然表示親近，但離自己招致羞辱就不遠了；你有事沒事總是跟在朋友旁邊，雖然看起來親密，但離你們倆疏遠也就不遠了。

有一個哲學寓言，名叫「豪豬的哲學」。

有一群豪豬，身上長滿尖利的刺，大家擠在一起取暖過冬。牠們老是不知道大家應該保持一種什麼樣的距離才最好，離得稍微遠些，互相借不著熱氣，於是就往一起

孔子不是提倡以德報怨的，
他給的分寸就是以直報怨。
——于丹心語

湊湊；一旦湊近了，尖利的刺就彼此扎著身體了，就又開始疏離；離得遠了，大家又覺得寒冷……經過很多次磨合以後，豪豬們才終於找到了一個最恰如其分的距離，那就是在彼此不傷害的前提下，保持著群體的溫暖。

在我們今天這個社會，尤其是都市裡，原來的大雜院都拆了，建成了單元樓，已經沒有這院裡頭一家包餃子、十家挨著都送到的事了，已經沒有大院一起過年、大人一桌小孩一桌的情形了。往往是同在一個單元裡邊住了三、四年，鄰居都認不全。

因為周圍人際關係冷漠，人與人之間溝通的障礙越來越多了。

這種障礙多了以後會怎麼樣呢？就會加重我們所信賴的幾個朋友身上的負擔。

你會覺得：我的好朋友應當對我好一點，我也會自覺地對他好一點。你會覺得：你們家有什麼私事，比如兩口子打架了，為什麼不告訴我呢？我可以給你們調停啊！

我們很多人都有這樣的想法。

大家真的應該聽聽子游的這句話：「事君數，斯辱矣；朋友數，斯疏矣。」距離過近，必然要傷及他人。

那麼，應該怎樣與朋友相處呢？

子貢曾經問過他的老師，孔夫子告訴他說：「忠告而善道之，不可則止，毋自辱子貢問友。
子曰：「忠告而善道之，不可則止，毋自辱焉。」
——《論語・顏淵》

焉。」（《論語・顏淵》）看到朋友做得不對的事，你要真心地勸告，善意地引導，如果他實在不聽就算了，別再說了，不要自取其辱。

所以，與好朋友相處也要有個度，不要什麼樣的事情都大包大攬。

《論語》告誡我們，無論對朋友還是對主管，都要保持一定的距離，掌握好親疏的分寸。

那麼，對待自己最親近的家人，是不是就可以親密無間了呢？

父母和子女之間、夫妻之間、戀人之間，也需要保持適當的距離嗎？

心理學上有一種界定，說現代人的交往中，有一種行為叫做「非愛行為」。什麼意思呢？就是以愛的名義對最親近的人進行的非愛性掠奪。這種行為往往發生在夫妻之間、戀人之間、母子之間、父女之間，也就是世界上最親近的人之間。

夫妻和戀人間經常會出現這樣的場面：一個對另一個說：你看看，我就為了愛你，放棄了什麼什麼；我就為了這個家，才怎麼怎麼樣，所以你必須對我如何如何。

不少母親也經常會對孩子說：你看看，自從生了你以後，我工作也落後了，人也變老變醜了，我一切犧牲都是為了你，你為什麼不好好念書呢？

所有這些，都可以稱為非愛行為，因為，它是以一種愛的名義所進行的一種強制性的控制，讓他人按照自己的意願去做。

我曾經看到有一本寫如何為人父母的書，作者是一個英國的心理學女博士。她在書的開頭說了一段非常好的話。她說：

這個世界上所有的愛都以聚合為最終目的，只有一種愛以分離為目的，那就是父母對孩子的愛。父母真正成功的愛，就是讓孩子盡早作為一個獨立的個體從你的生命中分離出去，這種分離越早，你就越成功。

從這個意義上來講，距離和獨立是一種對人格的尊重，這種尊重即使在最親近的人中間，也應該保有。

無論父子母女之間，還是多年夫妻之間，一旦沒有了這種距離、這種尊重，越過了這個尺度，到了《論語》中說的「數」這個階段，彼此已經不獨立了，就產生了隱患，離疏遠甚至崩潰就不遠了。

《論語》告訴我們，要本著平等和理性的態度去尊重每一個人，彼此之間留一點分寸，有一點餘地。

這非常像禪宗所推崇的一個境界，叫做「花未全開月未圓」。這是人間最好的境界。花一旦全開，馬上就要凋謝了；月一旦全圓，馬上就要缺損了。而未全開，未全圓，仍使你的內心有所期待，有所憧憬。

朋友之道，親人之道，皆是如此。稍微留一點分寸，得到的往往是海闊天空。

> 無論是對朋友還是對親人，都應該把握一個分寸，適度最好。
> 那麼對待工作是不是應該越熱情越好呢？
> 無論是份內的工作還是份外的工作，我們是不是都應該做得越多越好呢？
> 對待工作，也有分寸需要把握嗎？

「子曰：『不在其位，不謀其政。』」（《論語・憲問》）也就是說，你在什麼位置上，要做好本分，不要越俎代庖，跳過你的職位去做不該你做的事。這是當代社會特別應該提倡的一種職業化的工作態度。

可能有許多大學生去外商公司實習過。你一進去，人力資源部門的主管會給你一

> 距離和獨立是一種對人格的尊重，
> 這種尊重即使在最親近人的中間，
> 也應該保有。
> ——于丹心語

子曰：
「君子之於天下也，無適也，無莫也，義之與比。」
——《論語・里仁》

個job description，就是關於你的工作崗位的描述，告訴你，這個崗位是幹嘛的。從一個文書打字員，一直到高級主管，都有自己的崗位描述。

我們很多單位現在所缺失的正是這種崗位描述。我們對崗位往往有定性卻沒有定量。我們老是說：年輕人要好好幹，一個人幹三人的活才好呢。認為這樣是替主管分憂。實際上這並不符合現代企業管理精神，誰的活兒誰操心，這樣的話，大家合起來才是一盤棋。

孔子提倡「不在其位，不謀其政」，這裡面隱含著一個前提，就是「在其位，要謀其政」，先把你自己那個崗位做好，先不要操心別人的事。

那麼，在其位，怎麼謀其政呢？

首先是做事的原則。

「子曰：『君子之於天下也，無適也，無莫也，義之與比。』」（《論語・里仁》）

什麼叫做「義之於比」？就是用「義」作為比照，作為法則。

孔子的意思是說，君子對於天下事，不刻意強求，不無故反對，沒有薄沒有厚，沒有遠沒有近，沒有親沒有疏，一切按道義行事。道義，就是行事的原則和標準。

其次是做事的方式。

在「言」與「行」之間，孔夫子更看重「行」。他很不喜歡那些夸夸其談的人。他說：「巧言令色，鮮矣仁。」（《論語・學而》）愛說漂亮話，做出取悅於人的樣子，在這種人裡找不著真正的仁者。

孔夫子鼓勵的是什麼呢？是少說多做。做事要積極，說話要謹慎。孔夫子提出「慎言」，就是說話要小心，不要說自己做不到的事。用老百姓的話說叫「禍從口出」，沒那麼嚴重的話，起碼也是「言多語失」。

孔夫子的學生子張，要學習干祿。什麼是干祿呢？就是做官。子張想到社會上擔任點職務，請教老師應該怎麼做。孔子告訴他說：「多聞闕疑，慎言其餘，則寡尤；多見闕殆，慎行其餘，則寡悔。言寡尤，行寡悔，祿在其中矣。」（《論語・爲政》）

「多聞闕疑」，就是要先帶著耳朵去，多聽，有疑問的地方就先放一放。我們常說一個人身體力行，那叫直接經驗；而聽聽別人的經驗教訓，包括他經歷的坎坷，走過的彎路，那是間接經驗。你多聽點間接經驗，也有好處。

「慎言其餘」，就是自己覺得有把握的地方，說話時也要小心。「則寡尤」，就會少了很多怨尤。

「多見闕殆」，就是要多看，有疑問之處也先放一放。迷惑多是因為眼界不夠大，井底之蛙怎麼能知道什麼叫海闊天空呢？

你閱歷豐富了之後，做事仍然要謹慎。這種謹慎在《論語》中被概括為「如臨深淵，如履薄冰」（《論語・泰伯》）。一個人在做事的時候，要像站在深淵旁邊一樣謹慎行事，要像走在薄冰上一樣小心翼翼。

多思、多想、多聽、多看、謹言、慎行，這麼做的好處就是「寡悔」，讓你自己少一點後悔。

世上沒有賣後悔藥的。人一旦知道做錯的時候，一切皆成定局，無法挽回。一個人如果在說話裡面少了指責、抱怨，在行為中少了很多讓自己後悔的經驗，這個人出去做官做事，就能成功了。

這段話多實用！

「言寡尤，行寡悔」這六個字，對我們今天不是照樣有用嗎？

我在網路上看到一個小故事：

有一個壞脾氣的小男孩，一天到晚在家裡發脾氣，摔摔打打，特別任性。有一天，他爸爸就把這孩子拉到了他家後院的籬笆旁邊，說：「兒子，你以後每跟家人發

少指責、少抱怨、少後悔，
就能成功。
——于丹心語

一次脾氣，就往籬笆上釘一顆釘子。過一段時間，你看看你發了多少脾氣，好不好？」這孩子想，那怕什麼？我就看看吧。後來，他每嚷嚷一通，就自己往籬笆上敲一顆釘子，一天下來，自己一看：哎呀，一堆釘子！他自己也覺得有點不好意思。

他爸爸說：「你看你要克制了吧？你要能做到一整天不發一次脾氣，那你就可以把原來敲上的釘子拔下來一根。」這個孩子一想，發一次脾氣就釘一根釘子，一天不發脾氣才能拔一根，多難啊！可是為了讓釘子減少，他也只能不斷地克制自己。

一開始，男孩兒覺得真難啊，但是等到他把籬笆上所有的釘子都拔光的時候，他忽然發覺自己已經學會了克制。他非常欣喜地找他爸爸說：「爸爸快去看看，籬笆上的釘子都拔光了，我現在不發脾氣了。」

爸爸跟孩子來到了籬笆旁邊，意味深長地說：「孩子你看，籬笆上的釘子都已經拔光了，但是那些洞永遠留在了這裡。其實，你每向你的親人朋友發一次脾氣，就是往他們的心上打了一個洞。釘子拔了，你可以道歉，但是那個洞永遠不能消除啊。」

這個寓言，可以用來解讀《論語》中的「言寡尤，行寡悔」這句話。

我們在做一件事之前，要想一想後果，就像釘子敲下去，哪怕以後再拔掉，籬笆已經不會復原了。我們做事，要先往遠處想想，謹慎再謹慎，以求避免對他人的傷害，減少自己日後的悔恨。

說話要用腦子，做事要考慮後果，這是爲人處世很重要的一點。要想在紛繁複雜的現代社會中，處理好各種各樣的人際關係，更重要的是自己要懂禮節。

那麼，在孔子看來，什麼叫禮節呢？

孔子很重視日常生活中的禮節。他尊禮，守禮，行禮，並不是做給別人看，而是一種自我修養。

當做官的人，穿喪服的人，還有盲人，路過他面前，不管這個人多麼年輕，他也一定要站起來；如果他要從這些人面前經過，他就小步快走，這表示對這些人的一種尊敬。

對有官位的人，應該表示尊敬；對身上戴孝的人，他們是遭遇不幸者，也應該表示尊敬。對盲人，用今天的話來說，叫「弱勢團體」，更應該表示尊敬。你不要打擾他們太久，不要驚擾了他們的傷痛，你應該悄悄地從他們面前經過。

子見齊衰者，冕衣裳者與瞽者，見之，雖少，必作；過之，必趨。

——《論語・子罕》

這就是一種禮儀，這就是對人的一種尊重。

孔夫子在其他場合也是這麼做的。

《論語・鄉黨》記載：「鄉人飲酒，杖者出，斯出矣。鄉人儺，朝服而立於阼階。」鄉親們一起行鄉飲酒禮，儀式結束後，孔子總是要等拄手杖的老人出門後，自己才走，絕不與老人搶行。鄉親們舉行驅除疫鬼的儀式，孔子一定穿著朝服，恭敬地站在東面的臺階上。

這都是一些最小最小的禮節。大家可能會覺得，一個聖人做這點事，還用記載在典籍上嗎？這不是誰都懂的道理嗎？這是誇聖人嗎？

其實，所謂聖賢的言談舉止就是這麼樸素，樸素得甚至讓今天的我們都有些懷疑。這種故事就像發生在你的鄰里，發生在你的家裡。

但這是多麼溫暖啊。它讓我們覺得聖賢未遠。他依然在把自己感悟到的道理，體會到的經驗，留給我們，一起分享。

孔子的學生子路曾經問他的老師怎樣才能成為一個君子。孔子告訴他說：「修己以敬。」好好修煉自己，保持著嚴肅恭敬的態度。

子路一聽，做到這四個字就能當君子了？不會這麼簡單吧？於是又追問，說：

子路問君子。子曰：「修己以敬。」
曰：「如斯而已乎？」曰：「修己以安人。」
曰：「如斯而已乎？」
曰：「修己以安百姓。修己以安百姓，堯、舜其猶病諸。」
——《論語・憲問》

「如斯而已乎？」這樣就行了嗎？

孔子又補充了一點說：「修己以安人。」在修煉好自己的前提下，再想法讓別人安樂。

子路顯然還不滿足，又追問：「如斯而已乎？」

孔子又補充說：「修己以安百姓。修己以安百姓，堯、舜其猶病諸。」修煉自己，並讓百姓過上幸福的生活。像堯、舜這樣的聖賢之君還發愁在這件事情上沒有做好呢。做到這一點，難道還不夠個君子嗎？

《論語》中到處是這些樸素的、就好像發生在我們身邊的小故事，而很少長篇大論的大道理。我們不會覺得《論語》所說的道理遙不可及，而是會感到很溫暖、很親切。

孔子告訴我們的，首先不是如何安天下，而是如何做最好的自己。「修身」，是對家國、對社會負責任的第一前提。孔子和他的弟子力爭做「最好的自己」，而目的是為了更好地履行對家國、對社會的責任。

別人曾經問子路：你的老師孔子是個什麼樣的人？子路沒有回答。孔子後來對子路說，你為什麼不這樣回答呢：「其為人也，發憤忘食，樂以忘憂，不知老之將至云爾。」

當我發憤用功的時候，我可以忘了吃飯；當我快樂歡喜的時候，我會忘了憂愁。在這樣一個行所當行，樂所當樂的過程中，不知道我的生命已經垂垂老矣。這是孔子的寫照，也是中國知識分子追求理想人格的一個寫照。

儒家哲學說到底，是培養一種踐道者，也就是培養一批能夠擔當文化使命的特殊階層。這個階層中的精英的品格，就是范仲淹所說的「先天下之憂而憂，後天下之樂而樂」（〈岳陽樓記〉）。他可以忘卻一己的得失，把自己融入到一個大的群體利益中。

這是一種信仰，一種情懷，一種社會擔當。但其前提又是樸素的，是始自腳下的。修身養性、做好自我，就是起點。

我們常常會聽到有人抱怨社會不公，抱怨處世艱難。其實，與其怨天尤人，不如反躬自省。如果我們真的能做到把握分寸，謹言慎行，禮行天下，修身養性，我們會少很多煩惱，就自然會懂得為人處世之道。

懷著樂觀和積極的心態，把握好與人交往的分寸，讓自己成為一個使他人快樂的人，讓自己快樂的心成為陽光般的能源，去輻射他人，溫暖他人，讓家人朋友乃至於更廣闊的社會，從自己身上獲得一點欣慰的理由。

> 葉公問孔子於子路，子路不對。
> 子曰：「女奚不曰，其爲人也，發憤忘食，樂以忘憂，不知老之將至云爾。」
> ——《論語・述而》

我想，這不僅僅是《論語》裡面的一種道德理想，它同樣適用於二十一世紀。孔子和他的弟子們所享受的那種歡樂，同樣是我們今天快樂的源泉。這大概就是《論語》可以給我們今人最大的借鑒和經驗所得吧。

于丹《論語》心得之四

君子之道

大家讀《論語》會發現，這裡面經常出現一個詞：君子。

我們直到今天還常常將其作爲做人的一個標準，說某某人非常君子。

但是究竟什麼是君子呢？

司馬牛問君子。子曰：「君子不憂不懼。」
曰：「不憂不懼，斯謂之君子已乎？」
子曰：「內省不疚，夫何憂何懼？」

——《論語・顏淵》

「君子」是孔夫子心目中理想的人格標準，一部短短兩萬多字的《論語》，「君子」這個詞就出現了一百多次。

我們把孔子對於君子所有的言語、界定、描述總結在一起，會發現，大概做一個君子要有幾個層次上的要求。

做一個善良的人。這是君子的第一個標準。

君子的力量始自於人格與內心。他的內心完滿、富足，先修繕了自我修養，而後表現出來一種從容不迫的風度。

司馬牛曾經問過孔夫子，什麼樣的人才能夠稱為君子呢？

孔子答：「君子不憂不懼。」

司馬牛又問：「不憂不懼，就可以叫君子嗎？」

他可能覺得這個標準太低了。

孔子說：「反躬自省，無所愧疚，當然沒有什麼可憂可懼的。」

我們把孔夫子的意思用通俗的話來說，就是「不做虧心事，半夜敲門心不驚。」

一個人反省自己的行為，而能夠不後悔、不愧疚，這個標準說低也低，我們每個

就在此際，
從自我修養做起，做一個真君子。
——于丹心語

人都可以做到；說高就是個至高無上的標準，大家想想，要使自己做過的每件事都禁得住推敲，實在是極不容易的事。所以孔子才把它作為君子的人格標準。

孔子在給學生講課的時候曾經很認真地跟他們討論過君子的問題，他說：「君子道者三，我無能焉：仁者不憂，知者不惑，勇者不懼。」（《論語・憲問》）

孔子一上來很謙虛，說「不憂」、「不惑」、「不懼」這三點自己做不到。

什麼叫「仁者不憂」？

就是說，一個人有了一種仁義的大胸懷，他的內心無比仁厚、寬和，所以可以忽略很多細節不計較，可以不糾纏於小的得失。只有這樣的人，才能真正做到內心安靜、坦然。

什麼叫「知（智）者不惑」？

在區區半個世紀之前，一個人一生可能就在一個單位，婚姻基本上不會有任何變動，從小到老可能就住在一個大雜院裡。人們的煩惱可能是生活的或然性和可選擇性太小。

但在當今社會，我們的痛苦不是沒有選擇，而是選擇太多。這是一個繁榮時代帶給我們的迷惑。

子曰：「莫我知也夫！」
子貢曰：「何爲其莫知子也？」
子曰：「不怨天，不尤人；下學而上達。知我者其天乎！」
——《論語・憲問》

我們無法左右外在的世界，只有讓內心的選擇能力更強大。當我們很明白如何取捨，那麼那些煩惱也就沒有了，這就是孔夫子所說的「知者不惑」。

什麼叫「勇者不懼」？

用一般話來說就是「兩強相遇勇者勝」，也就是說，當你的內心足夠勇敢，足夠開闊，你就有了一種勇往直前的力量，自然就不再害怕了。

一個真君子做到了內心的仁、知、勇，也就少了憂、惑、懼。

孔子說這三條我做不到。子貢說「夫子自道也」——您說的不就是您自己嘛！

大家看，孔子告訴我們的做人標準，不是苛責外在世界，而是把有限的時間、精力，用來「苛責」內心。

一個人內心對自己要求更嚴格一點，對別人就會厚道一點。我們今天老說做人要厚道，厚道並不是窩囊，而是他可以包容和悲憫別人很多的過錯，可以設身處地站在別人立場上想問題。

因此，只有真君子才能做到「不怨天，不尤人」，既不抱怨老天爺不給我機會，也不抱怨這個世界上沒有人了解我。

一個人內心沒有了「憂」、「惑」、「懼」，自然就減少了對外界的抱怨和指責，也就增強了把握幸福的能力。

而增強把握幸福的能力，正是學習的終極目的。

孔子說：「古之學者為己，今之學者為人。」（《論語・憲問》）古人學習是為了提高自己，今人學習是為了炫耀於人、取悅於人。

真正尊崇學問的人，他的學習是為了人心靈的建樹。從書本上學，從社會上學，從小學到老，無非是學習一種把握幸福的能力。

讓自己成為一個有知識、有教養、而且內心忠誠的公民，然後以此在社會上安身立命，學習的目的就是完成這麼一個自我角色的建立和提升。

而「為人之學」又是什麼呢？

它是把學到的知識當成工具，當成一種技能，以之謀一份職業，為自己謀一份福利。

孔子曾經直截了當地跟他的學生子夏說：「女（汝）為君子儒，無為小人儒。」

（《論語・雍也》）就是說，你要想著提高修養，不要老惦記眼前的一點點私利。

孔子從來不說做君子就要像誰誰誰那樣，在孔子看來，做君子就是做一個最好的你自己，按照自己的社會定位，從身邊做起，從今天做起，讓自己成為內心完善的人。因為只有你的內心真正有了一種從容淡定，才能不被人生的起伏得失所左右。

這使我想起了一個小故事：

在一條小街上，三個裁縫開了三家裁縫店，每一家都想招攬最多的客人。

第一個裁縫掛出一塊大牌子，上寫：我是本省最好的裁縫。

第二個裁縫一看，覺得我要比他更高一點啊，於是做了一塊更大的牌子，上面寫著：我是全國最好的裁縫。

第三個裁縫想了想，難道我還能寫是全世界最好的裁縫嗎？想了半天，最後他做了一塊很小的牌子掛出去，結果這條街上的客人都來了第三家，前兩家變得冷冷清清。

第三個裁縫的牌子寫的是什麼？上面寫道：我是這條街上最好的裁縫。

也就是說，他把視線收回到眼前，從當下做起，反而得到了人們的認可。

做好自己的事，當一個善良的人，這是《論語》對於君子的第一條界定。但是不是做一個善良的人就可以稱之爲君子了呢？還不是。

做一個善良的人，是成為君子的前提。但僅有這個是不夠的，孔夫子心目中的君子，不僅是一個好人，還要是偉大和高尚的人，他要胸懷天下，奮發有為。

孔子曾經說過，「士而懷居，不足以為士矣。」（《論語・憲問》）就是說，一個人如果成天想的都是自己的小家，自己的小日子，那麼這個人就不能夠成為一個真正的君子。

孔子的學生曾子曾經說過：「士不可以不弘毅，任重而道遠。仁以為己任，不亦重乎？死而後已，不亦遠乎？」（《論語・泰伯》）

這樣一份擔當，後來就演化成了中國儒家人格中所謂的「天下興亡，匹夫有責。」

中國人的人格理想很有意思，儒家和道家從來不是徹底分離的，而是人格理想的兩端。用林語堂先生的話來講，中國每一個人的社會理想都是儒家，而每一個人的自然人格理想都是道家。

這就是我們經常的一種表述，叫做「窮則獨善其身，達則兼濟天下」（《孟子・盡心上》）。一個人在顯達的時候能以天下為己任，而在困窘之時還不放棄個人修養，還能心懷天下，這就是君子了。

在孔子之後，中國古代有許多名士當自己窮極潦倒的時候，還念念不忘蒼生黎民。

詩聖杜甫在自己的茅屋僅能容身、破敗漏雨之時，他想的卻是「安得廣廈千萬間，大庇天下寒士俱歡顏」（〈茅屋爲秋風所破歌〉），想讓更多的人住上好房子。我們不會感到杜甫是在說大話，而是會被那博大的胸襟和熾烈的感情所震撼！

再比如范仲淹，他認為一個士人不論是「居廟堂之高」還是「處江湖之遠」，都應該繫念天下君民，都應當「先天下之憂而憂，後天下之樂而樂。」（〈岳陽樓記〉）

這樣寬闊的胸懷，這樣高遠的志向，不難看到孔子和《論語》的影響。

讀到這裡，大家也許會有一種疑問：儒家講「天下己任」是要以犧牲個人利益為前提的嗎？

其實孔夫子並不否認個人利益的存在，相反，他所倡導的這樣一種篤定、實用而

溫暖的人際理論是以保障每個人利益權利最大化為前提的。他讓你在此基礎上盡量為社會做更多的事情。

但孔子認為謀求個人利益的時候不能不走正路，一心想走捷徑，一心想貪小便宜。孔夫子認為，走正路還是走捷徑，是君子和小人的區別。

他說：「君子喻於義，小人喻於利。」（《論語・里仁》）「義」就是「宜」，也就是說，君子走的始終是一條適宜的正路。而小人則一心看重私利，在一己私利驅使下很容易走上邪路。

那麼，君子和小人有哪些不同的表現呢？

孔子說：「君子懷德，小人懷土。君子懷刑，小人懷惠。」（《論語・里仁》）就是說，君子和小人每天心中惦記的事情是不同的。

君子每天牽掛的是自己的道德修繕，小人則記惦的是自己的家鄉；君子心中始終有一份規矩、法度，不得超越，小人則滿腦子想的是些小恩小惠，小便宜。

一個人他每天就惦記自己家的事情，比如我怎麼樣能夠多買一套房，我怎麼樣利用一下福利分房政策，每天算計著自家的衣食居住，這就是孔夫子說的小人的心思。當然這也沒有太大的過錯，但是如果一個人的心就拘囿在這麼一點點利益上，為了維護和擴大這一點點利益而不顧道德和法律約束的話，那就很危險了。

君子從來是尊重道德法制的，就像我們每一個人，走過街天橋，走人行橫道，等待紅燈，這些看起來都會給我們生活多多少少帶來一點限制，但是當這點限制成為彼此尊重、社會默契的時候，卻保障了自己的安全。

而小人則貪圖眼前的利益，喜歡鑽小空子，占小便宜，一次兩次可能得手，但這裡面潛藏著危機，肯定遲早要吃大虧。還是拿走路來說，一看紅燈、綠燈中間閃著黃燈，趕緊跑過去吧，覺得這個事情占了個小便宜，久而久之，這裡面有多大的隱患大家都心知肚明。

所以什麼是小人呢？就是沒有大眼界，搶占眼前小便宜的人。

那麼在今天這個社會，怎樣成為一個君子？我想不妨從倡導「恆心」開始。

現在這個社會有了多元選擇，我們在興奮、激情的驅使下，在眾多選擇中搖來擺去，難以決定。這是缺乏「恆心」的表現。

每一個人走上社會的時候，都會懷抱一種理想和憧憬，希望能夠有所作為。但是為什麼這些理想在現實中會一一破滅？一個重要的原因也是我們的「恆心」不夠。

如果我們真正有一番定力，有一個宏闊的境界，即使沒有達到「無恆產而有恆心」

小人就是沒有大眼界，
搶占眼前小便宜的人。
——于丹心語

子曰：
「君子和而不同，小人同而不和。」
——《論語・子路》

那麼高的境界，起碼離君子已經不是很遠了。

這是君子的第二個標準。

君子還有第三個標準，就是「矜而不爭，群而不黨。」（《論語・衛靈公》）就是說：君子是合群的，雖然他內心裡莊重、莊嚴不可侵犯，但他在一大群人裡頭卻從來不爭。同時，他也絕不拉幫結派，謀取私利。

這也就是孔子所說的「君子和而不同」。（《論語・子路》）舉個例子，許多人在一起，大家的觀點肯定會不完全一樣，當各自說出自己的觀點時，一個真君子是會認真傾聽的，他能夠理解和尊重每一個人觀點的合理性，同時又能夠堅持自己的觀點。這樣就既保證了整體的和諧，又保留了不同的聲音。我們今天說要構建和諧社會，就是要把每一個人的不同的聲音和諧地融入到大的集體的聲音中。

小人則剛好相反，他是「同而不和」。（《論語・子路》）

生活中經常會看見這樣的場面：大家討論一件事情的時候，主管的話還沒說完，馬上就會有人跳出來說，對對對，主管說得真好，什麼高屋建瓴、深謀遠慮之類的溢美之詞說了一大籮筐；可是到會後他轉臉就會對別人說，哎，這個主管說的都是什麼啊？我一點都不同意他的觀點！

關於君子和小人行事的不同，孔子還有一個表述，叫做「君子周而不比，小人比而不周。」（《論語・爲政》）

「周」就是能夠團結照顧到很多人，他以道義為準則與人交往，所以有很多志同道合的朋友。一個真君子不管他有多少朋友，他都會像空氣裡的氧氣一樣，讓朋友們感覺到很歡欣，感到受到照應。

「比」這個字，字形像兩個人緊挨著站在一起。這句意思是說，小人喜歡結成小圈子，他不會融入大團體。

比如說開一個party，一個君子會讓這裡面遠近親疏所有人都覺得很舒服；但是小人呢，他會和他最要好的人躲到一個角落去嘀嘀咕咕，好像他們兩個人好得不得了。

為什麼會有這種不同呢？還是因為君子和小人的道德境界不同。

孔子說：「君子坦蕩蕩，小人長戚戚。」（《論語・述而》）小人之所以喜歡互相勾結，是因為他的心裡有鬼，想通過這種勾結謀取私利和維護既得利益。所謂「結黨營私」，正是這個意思。而君子則胸懷坦蕩，因為他坦然無私，所以能夠平和，能夠以善意跟所有人走到一起。

中國一直以和諧為美，而真正的和諧是什麼？就是在堅持不同聲音、不同觀點的前提下，對於他人的一種寬容，一種融入。其實這就是君子之道。

因為君子和小人有這許多不同，因而同君子相處和同小人相處，情形會很不一樣。

孔夫子說：「君子易事而難說也。說之不以道，不說也；及其使人也，器之。小人難事而易說也。說之雖不以道，說也；及其使人也，求備焉。」（《論語・子路》）

《論語》的敘事方式特別容易懂，就是因為它老把君子和小人放在一起比較。

說，同「悅」，高興。一個君子你很容易與他相處，但是你又難以取悅他。假如你想以不正當的手段取悅他，他反而會不高興。絕不會說你給他一個小恩小惠，他就給你大開綠燈、大開後門。等到他真正用你的時候，他會根據你的才幹，給你安排一個合適的位子。這就叫「器之」。

小人的特點是你很容易取悅他，但是你很難與他相處。生活中這樣的人不在少數。比如說你給他施一點小恩小惠，幫他一個小忙，甚至你請他喝一頓酒，這個人就會很高興了。即便你取悅他的方式是不合乎道義的，是不正當的，他也還是會很高興。但這樣的人又是很不容易共事的。你千萬不要以為取得了他一時的歡心，他以後就會非常忠誠地一路給你開綠燈，雖然你費了很多力氣，花了很多錢財，打通了關節，但等到他真要用人的時候，他不會根據你的才幹給你安排工作，而是求全責備，覺得你這兒也不夠格，那兒也不達標，你以前所做的一切都算白費。他會想法刁難你，讓你覺得很尷尬。所以這樣的人你很難與他相處。

這就是小人和君子的區別。

> 《論語》中爲我們描述的君子，除了要是一個善良的人，一個高尚的人，一個很好相處的人外，還有一個重要的標準，就是說話和做事的標準。
>
> 一個君子的言行，應該是怎樣的呢？

一個君子不會把自己要做的事、要達到的目標先說出來；而往往是等把事都做完了，目標達到了，才淡淡地說出來。這叫「先行其言而後從之」。（《論語・爲政》）

孔子十分討厭那些夸夸其談的人，他說：「巧言令色，鮮矣仁！」（《論語・學而》）他認為，真正的君子應該「訥於言而敏於行」（《論語・里仁》），表面上可能是木訥

君子的力量永遠是行動的力量，
而不是語言的力量。
——于丹心語

的，少言寡語，但他的內心無比堅定、剛毅。

《聖經》說世上最追不回來的有三件事：射出的箭、說出的話和失去的機會。說出去的話有時候就像覆水難收，所以一個真君子，總是先把事情做到，然後再去說。

孔子說：「君子恥其言而過其行。」（《論語・憲問》）這在今天成為一個成語，叫「言過其行」。一個人說的多於他做的，是君子之恥。

> 君子的力量永遠是行動的力量，而不是語言的力量。
>
> 君子崇尚實幹，那麼，一個眞君子應當在社會中扮演什麼樣的角色，從事什麼樣的職業？

在孔子看來，君子所承擔的社會責任是比職業主義更高一層的理想主義。君子從來不是固定在某個職業中，他說：「君子不器。」（《論語・爲政》）君子在這個世界上不是作為一個容器存在的。容器是什麼呢？就是你合格地中規矩地擺在那兒做一份職業而已。

所以，君子的社會角色是變通的、與時俱進的。一個君子重要的不在於他的所為，而在於他所為背後的動機。他們是社會的良心。

人很奇怪，我們是思維決定行動，也就是態度決定一切。我們在這個社會上每天做的事情大體相同，但對這些事情的解釋各有不同。

我曾經看過十五世紀一個宗教改革家寫的一本書，在這本書中他講了自己青年時代的一個小故事，而這個故事改變了他的一生：

他說有一天他路過一個烈日炎炎下巨大的工地，所有人都在汗流浹背地搬磚。

他去問第一個人說，你在幹什麼呢？

那個人特別沒好氣地告訴他，你看不見啊，我這不是服苦役——搬磚嗎？

他又把這個問題去問第二個人。這個人的態度比第一個人要平和很多，他先把手裡的磚理齊，看了看說，我在砌堵牆啊。

後來他又去問第三個人。那個人臉上一直有一種祥和的光彩，他把手裡的磚放下，抬頭擦了一把汗，很驕傲地跟這個人說，你是在問我嗎？我在蓋一座教堂啊。

大家看一看，這三個人做的事情是一模一樣的，但是他們給出來的解讀卻是三個層次：

第一種人的態度我稱為悲觀主義的態度。他可以把我們所做的每一件事情都看作是生活強加給的一份苦役，他關注的是當下的辛苦，當然這也是確實存在的。

第二種人的態度我稱為職業主義的態度。他知道自己在砌一堵牆，這堵牆是一個局部成品，他知道要對得起今天的崗位，要對得起他的一份薪水、一個職務和職稱，所以他的態度不低於職業化的底線。這就是孔子所說的「器」的境界，作為一個容器的存在他合格了。但是他沒有更高的追求。

而第三種人的態度我稱為理想主義的態度。也就是說，他看到眼前的每一塊磚，每一滴汗，他都知道這是在通往一座聖殿和教堂。他知道，他的每一步路都是有價值的，他的付出一定會得到最終的成全。此時，他所做的事情絕不僅僅作為一個器皿，而是關係到我們的生命，我們的夢想，關係到我們最終能不能建築起一座教堂。而同時，因為有了這個教堂夢想的籠罩，也成就了這樣一個超出平凡的個體。

由此可見，「君子」這個《論語》中出現最多的字眼，它的道理永遠是樸素的，是溫暖的，是和諧的，是每一個人可以從當下做的；而那個夢想，那個目標，既是高遠的，又不是遙不可及，它其實就存在於當下，也存在於我們每一個人的內心。從這個意義上講，我們每一個人都可以成為一個真君子。

于丹《論語》心得之五

交友之道

一個人有什麼樣的朋友，直接反映著他的爲人。
要了解一個人，你只要觀察他的社交圈子就夠了，
從中可以看到他的價值取向。這就是我們經常說的「物以類聚，人以群分。」
人們常說：「在家靠父母，出外靠朋友。」
朋友在一個人的社會活動中無疑是非常重要的。
朋友像一本書，通過他可以打開整個世界。但是朋友有好壞之分。
良朋益友可以給你帶來很多幫助，惡朋佞友卻會給你帶來許多麻煩，
甚至引你走上邪路。因此，選擇朋友就顯得非常重要。
那麼，什麼樣的朋友是好朋友？什麼樣的朋友是不好的朋友？
怎樣才能交上好的朋友呢？《論語》裡面給出了答案。

孔子曰：「益者三友，損者三友。
友直，友諒，友多聞，益矣；
友便辟，友善柔，友便佞，損矣。」
——《論語．季氏》

孔夫子非常看重一個人成長過程中朋友的作用。

孔子教育自己的學生要交好的朋友，不要結交不好的朋友。他說，這個世界上對自己有幫助的有三種好朋友，就是所謂「益者三友」，是友直、友諒、友多聞。

第一，友直。直，指的是正直。

這種朋友為人真誠、坦蕩、剛正不阿，有一種朗朗人格，沒有一絲諂媚之色。他的人格可以影響你的人格。他可以在你怯懦的時候給你勇氣，也可以在你猶豫不前的時候給你果決。所以這是一種好朋友。

第二，友諒。《說文解字》說：「諒，信也。」信，就是誠實。

這種朋友為人誠懇，不作偽。與這樣的朋友交往，我們內心是妥帖的，安穩的，我們的精神能得到一種淨化和昇華。

第三，友多聞。這種朋友見聞廣博，用今天的話說就是知識面寬。

在孔子生活的先秦時代，不像我們今天有電腦，有網路，有這麼發達的資訊，有各種形式的媒體。那個時候的人要想廣視聽怎麼辦呢？最簡單的一個辦法就是結交一個廣見博聞的好朋友，讓他所讀的書，讓那些間接經驗轉化成你的直接經驗。

當你在一些問題上感到猶豫彷徨，難以決斷時，不妨到朋友那裡，也許他廣博的見聞可以幫助你做出選擇。

結交一個多聞的朋友，就像擁有了一本厚厚的百科辭典，我們總能從他的經驗裡面，得到對自己有益的借鑒。

《論語》中的益者三友，就是正直的朋友、誠實的朋友、廣見博識的朋友。孔老夫子又說有三種壞朋友，即「損者三友」，那又是些什麼樣的人呢？

孔夫子說，還有三種壞朋友，叫做友便辟、友善柔、友便佞，有這三者「損矣」。這損者三友，是三種什麼人呢？

首先是友便辟，這種朋友指的是專門喜歡諂媚逢迎、溜鬚拍馬的人。

我們在生活中經常會碰到這樣的人，你的什麼話，他都會說「太精彩了」；你做的任何事情，他都會說「太棒了」。他從來不會對你說個「不」字，反而會順著你的思路、接著你的話茬，稱讚你，誇獎你。

這種人特別會察言觀色，見風使舵，細心體會你的心情，以免違逆了你的心意。

「友便辟」和「友直」正好相反，這種人毫無正直誠實之心，沒有是非原則。他們的原則就是讓你高興，以便從中得利。

大家還記得電視劇《鐵齒銅牙紀曉嵐》裡面的大奸臣和珅嗎？他對乾隆皇帝百般逢迎，奴顏諂媚，幾乎無所不用其極。這就是一個典型的「便辟」之人。

孔夫子說，和這種人交朋友，太有害啦！

為什麼？和這種人交朋友，你會感到特別舒服、愉快，就像電視劇裡乾隆皇帝一樣，明知道和珅貪贓枉法，卻還是離不開他。

但是，好話聽多了，馬屁拍得舒心了，頭腦就該發昏了，自我就會惡性膨脹，盲目自大，目中無人，失去了基本的自省能力，那離招致災難也就不遠了。

這種朋友，就是心靈的慢性毒藥。

第二種叫友善柔。這種人是典型的「兩面派」。

他們當著你的面，永遠是和顏悅色、滿面春風、恭維你、奉承你，就是孔子說的「巧言令色」。但是，在背後呢，會傳播謠言，惡意誹謗。

我們經常會聽到這樣的控訴：我的這個朋友長得那麼和善，言語那麼溫和，行為那麼體貼，我把他當作最親密的朋友，真心地幫助他，還和他掏心窩子，訴說自己內心的秘密。可是，他卻背著我，利用我對他的信任，謀取自己的私利，還散布我的謠言，傳揚我的隱私，敗壞我的人格。當我當面質問他的時候，他又會矢口否認，裝出一副老好人受委屈的樣子。

這種人虛假偽善，與「諒」所指的誠信坦蕩正好相反。

他們是真正的小人，是那種心理陰暗的人。

但是，這種人往往會打扮出一副善良面孔。由於他內心有所企圖，所以他對人的熱情，比那些沒有企圖的人可能要高好幾十倍。所以，你要是一不小心被這種人利用的話，你就給自己套上了枷鎖。如果你不付出慘痛的代價，這個朋友是不會放過你的。這是在考驗我們自己的眼光，考驗我們知人論世的能力。

第三種叫友便佞。便佞，指的就是言過其實、夸夸其談的人，就是我們平常說的「光會耍嘴皮子」的人。

這種人生就一副伶牙俐齒，沒有他不知道的事，沒有他不懂得的道理，說起話來，滔滔不絕，氣勢逼人，不由得人不相信。可實際上呢，除了一張好嘴，別的什麼也沒有。

這種人又和上面講的「多聞」有鮮明的區別，就是沒有真才實學。便佞之人就是巧舌如簧卻腹內空空的人。

孔夫子非常反感花言巧語的人。君子應該少說話，多做事。他最看重的，不是一個人說了什麼，而是一個人做了什麼。

當然，在現代社會，人們的價值觀有了一定的變化，有真才實學的人，如果口才太過於笨拙，不善於表達自己，也會給自己的職業和人生帶來一些障礙。

但是，如果只會言語，沒有真功夫，那種危害比前者要可怕得多。

《論語》中的損者三友，就是諂媚拍馬的朋友、兩面派的朋友，還有那些夸夸其談的朋友。這樣的朋友可千萬不能交，否則我們將付出慘重的代價。

但是，好人壞人都不會寫在臉上，我們怎樣才能交到好朋友而遠離壞朋友呢？

要想交上好朋友，不交壞朋友，需要兩個前提：一是意願，二是能力。在孔子的理論裡，前者叫做「仁」，後者叫做「知（智）」。

那麼究竟什麼是仁呢？孔子的學生樊遲曾經問過他的老師。

老師只回答了兩個字：「愛人。」真正愛他人就是仁。

樊遲又問，什麼叫「知（智）」？

老師同樣回答了兩個字：「知人。」了解他人就是有智慧。

可見，我們想要交上好朋友，第一要有仁愛之心，願意與人親近，有結交朋友的意願；第二，要有辨別能力。這樣才能交到品質好的朋友。有了這兩條，就有了保障交友質量的底線。

從某種意義上講，交到一個好朋友其實就是開創了一段美好生活。我們的朋友正像一面鏡子，從他們身上能看到自己的差距。

但是，也有些無心之人，老跟朋友在一起，自己卻不能對照自省。

舉個不恰當的例子。《史記》卷六十二〈管晏列傳〉裡面有一篇晏子的傳記。晏子就是齊國的名相晏嬰，「晏子使楚」的故事是大家所熟悉的。

大家知道，晏嬰是五短身材，其貌不揚，看起來樣子有點猥瑣。可是他有一個車夫，卻長得特別帥，個子高高的，相貌堂堂。

這個車夫很有意思，覺得自己給齊國的宰相駕車很風光。而且，他覺得自己的位置很好啊：每天坐在車前面，駕著高頭大馬，而晏子卻只能在車棚裡面坐著。他覺得車夫這個職業真是太好了！

有一天，車夫回到家裡，發現自己的夫人哭哭啼啼地收拾了東西要回娘家。他吃驚地問道，你要幹什麼？他夫人說，我實在忍受不了了，我要離開你。我覺得跟你在一起挺恥辱的。

車夫大驚，你不覺得我風光嗎？他夫人說，你以為什麼叫做風光？像人家晏嬰那樣身負治世之才，卻如此謙恭，坐在車裡毫不張揚；而你不過就是一個車夫而已，卻覺得自己風光無限，趾高氣揚全在臉上！你整天跟晏嬰這樣的人在一起，卻不能從他身上學到一點東西來反省自己，這使我對你很絕望。跟你生活是我人生最大的恥辱了。

後來這個事情傳揚出來，晏嬰對這個車夫說：就衝你有這樣的夫人，我就應該給你一個更好的職位。反而提拔了這個車夫。

> 這個故事告訴我們什麼呢？這就是說，我們的周圍有很多人，他們的生活方式和他們處世態度，都可以成爲我們的鏡子，關鍵是我們自己要做個有心人。

孔夫子提倡我們結交益友，就是對我們有用的人。但這個有用並不是說通過他可以改善你的現實生活條件，相反，孔子從來不主張你去結交富豪和有權勢的人，而是要你去結交那些可以完善你的品德、提高你的修養、豐富你的內涵的人。

大家知道，中國古代有一個山水田園詩派，這個流派的作品以表現隱逸情懷、抒發山水田園之樂為主。

那麼，真正的田園在哪裡？它並不在與世隔絕的深山老林，而在現實生活之中。所謂「小隱隱於野，而大隱隱於市」，只有那些修煉不夠的小隱士才會躲到這個山那個山，很做作地修座別墅；真正的大隱是不離紅塵的，他可能就生活在鬧市之中，每天做著跟大家毫無二致的事情，但他的心中卻自有一方從容寧靜的田園。

我們都知道陶淵明，他是田園詩創作的鼻祖，中國的隱逸之宗。陶淵明的生活條件雖極其簡陋，但他活得卻很歡樂。《南史・隱逸傳》記載說，陶淵明自己不解音律，卻蓄素琴一張，這張琴連弦都沒有，就是那麼一段木頭。他每有會意，就撫弄這段木頭，說是彈琴，而且彈得很投入，把自己內心的情感全都寄寓其中，有時彈著彈著就痛哭失聲。而每每此時，那些真正聽得懂的朋友也會為之動容。陶淵明用這麼一張無弦琴彈奏他心靈的音樂，和朋友們把酒言歡，然後說，「我醉欲眠卿可去」，我

> 結交那些快樂的，
> 能夠享受生命的，
> 安貧樂道的朋友。
> ——于丹心語

已經喝醉了你們走吧。朋友們也不計較，就都走了，日後還是歡會如舊。這樣的朋友才是真正的朋友，這樣的日子才是真正快樂的日子，因為大家的心靈有一種默契。

我曾經看過臺灣著名的散文家林清玄寫的一篇散文，他說一個朋友和他要一幅字，自己掛在書房裡。朋友對他說，你要寫非常簡單的，讓我每天看了以後就有用的一句話。他想了半天，就寫了四個字，叫「常想一二」。那個朋友不懂，說這是什麼意思啊？林清玄解釋說，大家都說這個世上「不如意事常八九，可與言者無二三」，我們就算認可這種說法吧，但是起碼還有一二如意事啊？我幫不了你太多，我只可以告訴你就常想那「一二」吧，想一想那些快樂的事情，去放大快樂的光芒，抑制心底的不快，這也就是我作為一個朋友能夠為你做的最好的事情了。

有這樣一個來自西方的寓言，說有一個國王過著錦衣玉食、聲色犬馬的日子，天下所有至極的寶物美色都給了他，他仍然不快樂。他不知道怎樣才能快樂起來，於是派人找來了御醫。

御醫看了半天，給他開了一個方子，說你必須讓人在全國找到一個最最快樂的人，然後穿上他的襯衫，你就快樂了。

國王就派大臣們分頭去找，後來終於找到了一個快樂得不可救藥的人。但是大臣們向國王彙報說，我們沒有辦法拿回那件能夠給您帶來快樂的襯衫。

國王說，怎麼會這樣？必須給我拿回那件襯衫！

大臣們說，那個特別快樂的人是個窮光蛋，他從來就是光著膀子的，連一件襯衫都沒有。

其實這個寓言也是對生活的一種詮釋，它告訴我們，生活中真正的快樂是心靈的快樂，它有時跟外在的物質生活不見得有緊密的聯繫。孔子生活的時代，是一個物質極其貧匱的時代，在那個時代真正快樂的力量，也就來自於心靈的富足，來自於一種教養，來自於對理想的憧憬，也來自於同良朋益友間的切磋交流。

> 我們知道了什麼樣的朋友是好朋友，還需要知道怎樣與朋友相處好。好朋友是不是就意味著要打成一片？我們經常說，誰跟誰好得穿一條褲子，這是朋友相處的恰當距離嗎？

在這個世界上，所有沒有分寸、沒有尺度的事情，都會做到過猶不及。與朋友相處，同樣應當注意分寸。比如你跟一個君子交朋友的時候，什麼時候說話，什麼時候孔子曰：
「侍於君子有三愆：言未及之而言謂之躁，
言及之而不言謂之隱，未見顏色而言謂之瞽。」
——《論語・季氏》

不說話，自己都要有尺度。

孔子說，「言未及之而言謂之躁」。（《論語・季氏》）話還沒說到那兒，你就出來發表意見了，這叫毛毛躁躁。這不好。大家有大家的公共話題，一定要到眾望所歸，大家期待一個話題的時候，你再徐徐道來，這個時候才是合適的。

現在很多人在網路上都有自己的部落格，其實是急於要把內心深處的一些東西展示給人看。但過去沒有部落格，大家靠說話來交流了解。大家也許會發現，朋友聚會的時候，總有一些人喜歡滔滔不絕說自己關心的事情，比如我最近去打獵了，我最近升職了。或者有一些女性朋友聚會時，有的人上來就會說我男朋友怎麼樣，我的孩子怎麼樣等等。這些當然都是她特別想說的話題，但這些話題是不是大家一定關心呢？也就是說，她一個人說話的時候無形中剝奪了其他人選擇話題的權利。所以在「言未及之」的時候喜歡跳出來說話是不好的。

但是還有另外一個極端，「言及之而不言」，孔子說這個毛病叫做「隱」。

也就是說，話題已經說到這了，你本來應該自然而然地往下說，可你卻吞吞吐吐，遮遮掩掩，不跟大家說心裡話。這種朋友會讓大家覺得彼此心裡還存有隔膜。話題既然已經到這裡了，你幹嘛不說呢？是自我保護？還是故作矜持？還是要吊大家的胃口？總而言之，該說的時候不說，也不好。

第三種情況，用孔子的話說就是「未見顏色而言謂之瞽」，也就是我們今天老百姓所說的沒眼色。

這個「瞽」字說得很嚴厲，就是一個人不看別人的臉色，上來就說話，這就叫睜眼瞎。你要注意了解對方，你要看看什麼話能說，什麼話不能說，這就是朋友之間的尊敬和顧忌。

其實何止是朋友，夫妻之間、父子之間，難道就沒有顧忌嗎？每一個成年人都有他生命中的光榮與隱痛，真正的好朋友不要輕易去觸及他的隱痛，這就需要你有眼色。當然這跟投其所好不同，這是你給朋友營造的一個寬和與友好的氣氛，讓他跟你溝通下去。

在世界採訪史上，有一個著名的案例。

費雯麗在美國好萊塢拍的影片《亂世佳人》獲得了十一項奧斯卡提名之後，一舉成名。當這個電影風光無限，首次去歐洲巡演的時候，費雯麗乘班機降落在倫敦停機坪上。成千上萬的記者在下面圍著。

有一個沒有眼色的記者衝到最前面，他非常熱情地問剛剛走出舷梯的費雯麗說，請問你在這個電影裡扮演什麼角色？這一句話使費雯麗轉身就進了機艙，再也不肯出來。

在對採訪對象毫無了解的情況下說的這句話，不就像瞎子一樣嗎？

還有，在給朋友提建議或忠告的時候，雖然你的出發點是好的，但也要把握分寸。

孔子對子貢說，向人進諫時，要「忠告而善道之，不可則止，毋自辱焉。」（《論語・顏淵》）就是不一定要做苦口良藥，不一定要當頭棒喝，你完全可以娓娓道來。這就叫「善道之」。如果這樣還說不通，就適可而止，不要等到人家不耐煩了自取其辱。

你千萬不能要求對方必須如何如何。其實在今天這個社會裡，包括父母對孩子都不能提出這樣的要求，每一個個體都是值得尊重的，朋友之間尤其要保留這種尊重。好好地說出你的忠告，盡你的一份責任，這就是好朋友了。

孔子曰：
「君子有三戒：少之時，血氣未定，戒之在色；
及其壯也，血氣方剛，戒之在鬥；及其老也，血氣既衰，戒之在得。」
——《論語・季氏》

人在一生中不同的年齡階段，所交的朋友是不同的。我們如何在不同的年齡階段都交到有益於自己的好朋友呢？

孔夫子說，人這一輩子，說起來七、八十年，好像很長。但是劃分一下，可以分成三個大的階段：少年、壯年、老年。每個階段上都會有一些需要特別注意的東西，也就是我們平常所說的坎兒。這三個坎如果你都越過去了，你這一生就無大礙了。而要成功越過這三道坎，同樣離不開朋友的幫助。

孔子說：「少之時，血氣未定，戒之在色。」人在少年的時候，很容易衝動，這個時候要注意不要在男女情感上出現問題。我們經常看到，高中生、大學生因為感情問題出事。這個時候，一些好朋友作為旁觀者，他們看得很客觀、很清楚，所以好多自己解不開的疙瘩也許會從朋友那裡找到答案。

過了這個坎兒，就到了中年。孔子說，人在這個階段，「血氣方剛，戒之在鬥。」人到中年，家庭穩定了，職業穩定了，這個時候想的最多的是什麼呢？是謀求更好更大的空間，這就極易與他人產生矛盾和爭鬥，爭鬥的結果很可能是兩敗俱傷。所

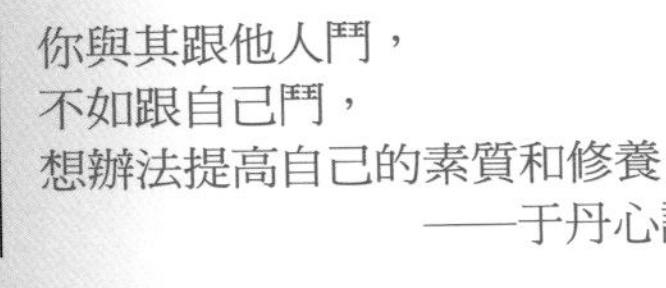
你與其跟他人鬥，
不如跟自己鬥，
想辦法提高自己的素質和修養。
——于丹心語

以孔子提醒說，人在這個時期，最重要的就是告誡自己，不要跟別人爭鬥。你與其跟他人鬥，不如跟自己鬥，想辦法提高自己的素質和修養。假如一個更好的職位最終沒有選擇你，你應該想一想，是不是自己哪些方面還做得不夠好。

所以在這個時候，你要結交那種有平常心的朋友。他會幫你看開暫時的得失，超脫利益的糾纏，得到心靈的撫慰，獲得精神的棲息地。

那麼到晚年應該注意些什麼呢？按照孔子的說法，叫「血氣既衰，戒之在得。」人老了，心態就容易走向平和，像羅素所說，湍急的河流沖過山巒，終於到了大海的時候，表現出來的就是一種平緩和遼闊。在這個時候，人要正確對待你得到的東西。這裡面其實是大有深意的。

人年輕的時候，都是在用加法生活，但是到一定層次後，要學著用減法生活。你從社會上收穫友誼、收穫金錢、收穫情感、收穫你的功勳，此時你已經收穫了很多，就像是一個新家，逐漸被東西堆得滿滿當當一樣。你的心靈如果被所得堆滿，最後就會累於得。

我們經常看到，老年朋友在一起，互相的交流是什麼呢？往往是抱怨。抱怨兒女顧不上自己，說我一把屎一把尿把你們拉拔大了，現在你們都去忙了，連回家來看看都沒有時間；抱怨社會分配不合理，說我們當年一個月才拿幾十元錢，你看看我孫女，現在一去外商公司就掙三、四千元錢，這對我們公平嗎？

如果老在說這些東西，那麼原來的所得就變成生命的一種隱痛，一種負累。這時就需要朋友的開導，學著捨棄一些東西，這樣也就遠離了煩惱。

其實縱觀下來，《論語》裡面真正專門談論交友之道的文字並不多，但是它教給了我們一種智慧。

選擇一個朋友，就是選擇一種生活方式。而能夠交上什麼樣的朋友，先要看自己有什麼樣的心智，有什麼樣的素養；看自己在朋友圈子裡面，是一個良性元素還是一個惰性元素，是有害的還是有益的。

也就是說，自己修身養性，是交到好朋友的前提；而交到好朋友，等於給自己打開了一個最友善的世界，能夠讓自己的人生具有光彩。

于丹《論語》心得之六

理想之道

修身、齊家、治國、平天下，這是中國人傳統的道德理想。而《論語》中孔子與他的學生們談到理想時，並不認爲志向越高遠就越好，眞正重要的是一個人內心的定力與信念。

無論你的理想是大是小，實現所有理想的基礎，在於找到內心的眞正感受。一個人內心的感受永遠比他外在的業績更加重要。

我們今天該如何理解理想的含義呢？

孔老夫子的觀念和現代人對理想的追求是不是有矛盾呢？

翻開《論語》，我們看到，樸素的字句後面常常閃耀著一種理想之光。孔夫子說：「三軍可奪帥也，匹夫不可奪志也。」（《論語．子罕》）這句話在民間流傳得很廣，意思是說，一個人的志向至關重要，決定了他一生的發展和方向。

所以孔子在教學生的時候，經常讓學生們各自說說自己的理想。在《論語．先進》篇裡面有一個比較罕見的完整的段落叫做「侍坐」，記載的就是孔子如何跟學生一起暢談理想。這段文字是這樣的：

子路、曾皙、冉有、公西華侍坐。子曰：「以吾一日長乎爾，毋吾以也。居則曰：『不吾知也！』如或知爾，則何以哉？」子路率爾而對曰：「千乘之國，攝乎大國之間，加之以師旅，因之以饑饉；由也為之，比及三年，可使有勇，且知方也。」夫子哂之。「求！爾何如？」對曰：「方六七十，如五六十，求也為之，比及三年，可使足民。如其禮樂，以俟君子。」「赤！爾何如？」對曰：「非曰能之，願學焉。宗廟之事，如會同，端章甫，願為小相焉。」「點！爾何如？」鼓瑟希，鏗爾，舍瑟而作。對曰：「異乎三子者之撰。」子曰：「何傷乎？亦各言其志也。」曰：「莫春者，春服既成。冠者五六人，童子六七人，浴乎沂，風乎舞雩，詠而歸。」夫子喟然歎曰：「吾與點也！」三子者出，曾皙後。曾皙曰：「夫三子者之言何如？」子曰：「亦各言其志也已矣。」曰：「夫子何哂由也？」曰：「為國以禮，其言不讓，是故哂之。」「唯求則非邦也與？」「安見方六七十如五六十而非邦也者？」「唯赤則非邦也與？」「宗廟會同，非諸侯而何？赤也為之小，孰能為之大？」

我們把這段文字轉換成白話就是：這一天，孔子的四個學生子路、曾皙、冉有和公西華陪老師坐著。孔子很隨意地跟他們講，因為我比你們年紀大，老了，沒有人用我了。我平時老聽見你們說，沒有人了解我的志向啊！假如現在有人了解你們，打算起用你們，你們能做什麼呢？

子路是個急性子，聽老師這麼一問，不假思索就回答說：「給我一個擁有一千乘兵車的中等國家，這個國家夾在大國中間，外有被武裝侵略的危險，內有糧食不足的危機。假如讓我來管理它，不出三年，可以使人人振奮精神，並且懂得什麼是道義。」

按說子路的理想比較遠大，對於那麼看重禮樂治國的孔子來講，假如自己的學生真能有如此業績，可以使一個國家轉危為安，他應該感到很欣慰吧。沒有想到，孔子的反應不僅是淡淡的，而且稍稍有點不屑。「夫子哂之」，微微冷笑了一下，未置可否，就接著問第二個學生：「冉求，你的理想是什麼？」

冉有名求。他的態度比起子路顯然要謙遜很多，沒有敢說那麼大的國家，那麼多的事。他說：「假如有一個方圓六、七十里或者五、六十里的小國家讓我去治理，等到三年的光景，可以使老百姓們豐衣足食。至於修明禮樂，那就要等待賢人君子了。」他的意思是說，在物質層面能做到使百姓富足，但要萬眾齊心，對國家有信念，做到禮樂興邦，那我可做不到，還是等著比我更高明的君子來吧。

他的話說完了，老師依舊未置可否。接著問第三個人：「公西赤！你的理想是什麼？」

公西華名赤。他就更謙遜了一層，回答說：「非曰能之，願學焉。」先亮出自己的態度，我可不敢說我能幹什麼事，現在老師問到這兒，我只敢說我願意學習什麼事。然後他說，在進行祭祀或者同外國會盟的時候，我願意穿著禮服，戴著禮帽，做一個小小的司儀。他對治理國家、管理人民這些事都沒有說。

我們不缺宏大理想，
但是缺乏到達的那條切實的道路。
——于丹心語

大家會看到，孔子這三個弟子的態度一個比一個更謙遜，一個比一個更平和，一個比一個更接近自己人生的起點，而不是終端的願望。

在今天看來，一個人的發展，最重要的往往不在於終極的理想有多麼高遠，而在於眼前擁有一個什麼樣的起點。我們往往不缺乏宏圖偉志，而缺少通向那個志願的一步一步積累起來的切實道路。

到此為止還有一個人沒有說話，所以老師又問了：「點！爾何如？」曾點，你想做什麼呢？

曾皙名點，他沒有立即說話。《論語》對此寫得惟妙惟肖，叫做「鼓瑟希」，大家聽到的，先是一陣音樂的聲音逐漸稀落下來，原來剛才他一直在專心致志地彈著瑟，聽到老師問自己，他讓瑟聲逐漸逐漸緩和下來，緩和到最後一聲，「鏗爾」，噹一聲，把整個曲子收住。像我們熟悉的〈琵琶行〉所描寫的那樣，「曲終收撥當心畫」，讓樂曲有一個完完整整的結束。曾皙不慌不忙，「舍瑟而作」。什麼是作呢？那個時候人們是席地而坐，學生聽老師講課或者大家聊天，都是跪坐在自己的腳後跟上。當要回答老師的提問時，要站起來以表示恭敬，這就叫「作」。曾皙是把瑟放在一邊，然後畢恭畢敬站起身來回答老師的問話。

從這樣幾個字的描寫能夠看出什麼來呢?可以看出曾皙是一個從容不迫的人，他不會像子路那樣「率爾」而對，而是娓娓道來，成竹在胸。他先是徵求老師的意見，說，我的理想和這三位同學不一樣，能說嗎?老師說，那有什麼關係呢?就是要各人談談自己的志向嘛。

這個時候，曾皙才從容地開始闡述他的理想。他說，我的理想是，到了暮春時節，就是陰曆的三月，穿上新做的春裝，在這個大地開化、萬物復蘇的季節，陪同幾個成年的朋友，再帶上一批孩子，大家一起去剛剛解凍的沂水中，把自己洗滌得乾乾淨淨，然後到沂水旁邊的舞雩臺上，沐著春風，把自己融會進去，與天地在一起共同迎來一個蓬勃的時節，讓自己有一場心靈的儀式，這個儀式完成後，大家就高高興興唱著歌回去了。我只想做這樣一件事。

孔子聽了他的話，長長地感歎一聲說：「吾與點也!」「與」，贊同。即是說，孔子的理想和曾點是一樣的。這是四個學生暢談自己理想的過程中，老師發表的唯一一句評價的話。

各人的理想談完了，子路、冉有和公西華他們三個就下去了。曾皙沒有立即出去，而是問老師，您覺得他們三個說得怎麼樣呢?

老師也很巧妙，他先擋了一下，沒有做正面評價，說，無非是每個人說說自己的想法嘛。

但曾皙還要繼續問老師，那為什麼子路說完話您冷笑了一下呢？

問到這個問題，老師不能不說話了，他說：「為國以禮，其言不讓，是故哂之。」治理一個國家最核心的東西是講究禮讓，可是子路的話一點都不謙虛，所以笑笑他。意思是說，要以禮制去治理一個國家，首先你的內心要有一種溫良恭儉讓，這是一個起點。你看子路說話的時候那麼草率，搶在大家之前發言，說明他內心缺乏一種恭敬和辭讓啊。

接下來曾皙又問，難道冉有不是想治理一個國家嗎？（您為什麼沒有哂笑他？）老師說，難道說方圓六、七十里，或者說五、六十里，甚至更小一點，那就不叫國嗎？

曾皙又問，難道公西華說的不是治理國家嗎？（怎麼也沒見您哂笑他？）老師說，有宗廟，又有國際間的盟會，不是治理國家是什麼？像他這樣精通禮儀的人說想做一個小司儀，那麼誰又能做大司儀呢？

孔子的意思是說，他笑子路，不是笑他沒有治國理政的才幹，而是笑他說話的內容和態度不夠謙虛。所以，問題的關鍵不在於治理對象的大小，不在於它是不是國家，而在於自己的態度。因為冉有和公西華態度謙遜，而他們又有實際的才幹，所以孔子沒有哂笑他們。

那麼問題又來了，既然孔子並沒有否定子路、冉有和公西華的理想，為什麼唯獨對曾皙給予熱情鼓勵呢？從孔子對曾皙的支持中，我們能看出什麼呢？

宋代大理學家朱熹對此有一個比較權威的解讀。他說，曾皙的理想看起來不過是「即其所居之位，樂其日用之常，初無捨己為人之意」（《四書集注》），好像他做的都是些日常小事，沒有什麼捨己為人的大理想。但是曾皙的內心是完滿充盈的，他以自身人格的完善為前提，以萬物各得其所為理想，這就比另外那三個人想從事一個具體的職業，在那個職業上做出成績要高出一個層次。

這就是孔夫子說過的「君子不器」。一個真正的君子從來不是以他的職業素質謀求一個社會職位為目的的，卻一定是以修身為起點的，他要從最近的、從內心的完善做起。

我們每個人都有自己的理想，但是在匆匆忙忙周而復始的工作節奏中，還有多少時間，多少空間能讓你去關注自己的內心呢？我們所看到的往往只是一個社會的角色，被遮蔽的恰恰是我們心靈的聲音。

我曾經看到過這樣一個小故事：

有一個人過得很不開心，覺得自己有憂鬱症的前兆，就去看心理醫生。

他跟醫生講，我每天特別害怕下班，我在工作的時候一切正常，但是一回到家裡就會感到惶惑。我不知道自己心裡真正的願望是什麼，我不知道該選擇什麼。越到晚上，我的心裡面會越恐懼，越壓抑，所以常常整夜失眠。但是第二天早上一上班，一進入工作狀態，我的症狀就消失了。長此以往，我很害怕會得上憂鬱症。

這個醫生認真聽完他的傾訴後，給了他一個建議說，在我們這個城市裡，有一個非常著名的喜劇演員，他的喜劇演得好極了，所有人看了以後都會開懷大笑，忘懷得失。你是不是先去看看他的演出？等看上一段時間後，我們再聊一聊，看你這種憂鬱

成功的職業，
不一定就是你心中的理想。
——于丹心語

症前兆是不是有所緩解，然後我們再來商量方案。

聽完醫生的話，這個人很久很久沒有說話。他抬起頭來看著醫生的時候，已經是滿面淚水。他艱難地對醫生說，我就是那個喜劇演員。

這好像是一個寓言，但這樣的故事很容易發生在我們今天的生活中。大家可以想一想，當一個人已經習慣於自己的角色，在角色中歡欣地表演，認為這就是自己的理想，這就是成功的職業，在這個時候，還有多少心靈的願望受到尊重呢？我們在角色之外，還留有多大的空間，真正認識自己的內心呢？這就是很多人離開職業角色之後，反而覺得倉皇失措的根源所在。

還有一個有意思的小故事：

隆冬來臨之前，在深秋的田埂上，有三隻小田鼠忙忙碌碌地做著過冬準備。

第一隻田鼠拚命地去找糧食，把各種穀穗、稻粒一趟一趟搬進洞裡。

第二隻田鼠賣力地去找禦寒的東西，把很多稻草、棉絮拖進洞裡。

而第三隻田鼠呢？就一直在田埂上遊遊蕩蕩，一會兒看看天，一會兒看看地，一會兒躺一會兒。

那兩個夥伴一邊忙活，一邊指責第三隻田鼠說，你這麼懶惰，也不為過冬做準

表面看來毫無價值的東西，
會給人心一個淡定的起點。
——于丹心語

備，看你到了冬天怎麼辦！

這隻田鼠也不辯解。

後來冬天真的來了，三隻小田鼠躲在一個非常狹窄的洞裡面，看著吃的東西不愁了，禦寒的東西也都齊備了，每天無所事事。漸漸地，大家覺得非常無聊，不知道怎麼打發這些時光。

在這個時候，第三隻田鼠開始給另兩隻田鼠講故事。比如在一個秋天的下午，牠在田埂上遇到了一個孩子，看到他在做什麼什麼；又在一個秋天的早晨，牠在水池邊看到一個老人，他在做什麼什麼；牠說曾經聽到人們的對話，曾經聽到鳥兒在唱一種歌謠……

牠的那兩個夥伴這才知道，這隻田鼠當時是在為大家儲備過冬的陽光。

我們再回過頭來看曾皙的理想，他在大地解凍、萬物欣欣向榮的時節，安排一個洗滌自己、親近自然的儀式，這個儀式看起來沒有任何實用的意義，但是它卻能給內心一個安頓。這種安頓需要我們與天地合一，去敏銳地感知自然節序的變化，感知四時，感知山水，感知風月。

這一點對於我們今人來講是特別奢侈了。在現代化的今天，反季節的事太多了：

到了盛夏的時候，屋子裡有空調，涼風習習；到了寒冬的時候，屋子裡有暖氣，溫暖如春；到了春節的時候，有大棚裡的蔬菜，擺在桌子上五顏六色……當生活的一切變得如此簡約的時候，四季走過的痕跡，在我們的心上已經變得模糊；什麼四季分明，什麼節序如流，在我們心中，已經激不起什麼反響。我們不會像曾皙那樣敏感，想到在暮春時節，讓自己去受一次心靈的陶冶，從而把自己更大的理想，堅定地放飛出去。

理想和行動的關係，就如同引線和風箏的關係。這個風箏能飛多遠，關鍵在於你手中的線。而這條線，就是你的內心願望。你的內心越淡定，越從容，你就越會捨棄那些激烈的、宏闊的、張揚的、外在的形式，而尊重安靜的、內心的聲音。這會使你走到社會角色中的時候，能夠不失去自我，能夠有擔當，能夠做到最好。

許多人感到，「侍坐」這樣一章闡述的理想似乎不同於我們一直以來對於《論語》關於立志的判讀，不同於曾子所說的「士不可以不弘毅，任重而道遠」（《論語・泰伯》）那樣的沉重。但是我們靜下來想一想，它卻是所有那些人生大道社會理想得以實現的內在基礎。一個人如果沒有內心的這種從容和對於自我的把握，在他的職業角色中，只能任職業擺布，而不會有對這個職業的提升。

子貢問曰：「何如斯可謂之士矣？」子曰：「行己有恥，使於四方，不辱君命，可謂士矣。」
曰：「敢問其次。」曰：「宗族稱孝焉，鄉黨稱弟焉。」
曰：「敢問其次。」曰：「言必信，行必果，硜硜然小人哉！

孔子強調一個人的內心修養，絕不是放棄對社會的責任，而是為了更好地為社會服務。

在《論語》中有一段意味深長的對話。

學生子貢去問老師：「何如斯可謂之士矣？」怎麼樣才可以叫做「士」呢？

我們知道，士這個階層是中國的知識分子階層，是那種無恆產有恆心，以天下為己任的階層，這應該是一個很崇高的名譽。

老師告訴他說：「行己有恥，使於四方，不辱君命，可謂士矣。」

孔子的意思是說，一個人做事的時候要知道什麼是禮義廉恥，也就是對自己的行為要有所約束，內心有堅定的不妥協的做人標準；同時這個人要對社會有用，就是你要為社會做事。也就是說，一個人有了內心的良好修養以後，不可以每天只陶醉在自我世界，一定要出去為這個社會做事，你要忠於自己的使命，要做到「不辱君命」。這可不容易，因為你不知道你所要承擔的是一個什麼樣的使命啊。所以這是孔子說的「士」的最高標準。

子貢覺得這個標準太高了，就又問，「敢問其次」？還有沒有低一些的標準啊？

孔子回答他說：「宗族稱孝焉，鄉黨稱弟焉。」宗族稱讚他孝敬父母，鄉里稱讚抑亦可以爲次矣。」
曰：「今之從政者何如？」
子曰：「噫！斗筲之人，何足算也？」
——《論語・子路》

他恭敬尊長。你能夠從身邊做起，把你那種人倫的光芒放射出來，用這種愛的力量去得到周邊人的認可，不辱祖先，這就是次一等的「士」。

子貢又接著問，「敢問其次」。還有沒有更下一等的呢？

孔子說：「言必信，行必果，硜硜然小人哉！抑亦可以為次矣。」說話信用誠實，行為堅定果決，這是不問是非黑白只管自己貫徹言行的小人啊。不過，也可以勉強算作再次一等的士了。

大家看到這裡以後一定會瞠目結舌說，這麼高的標準才是第三等啊？那種言必信，行必果，答應別人的事情，不管用什麼辦法，也不管會有什麼後果，也一定給你做到，就是能夠實踐自己諾言的人只能勉強算作第三等的士。可是，「言必信，行必果」這六個字，今天有幾個人能做到啊？

子貢可能也覺得這三個標準太高了，於是又追問了一句說：「今之從政者何如？」現在這些當政的人怎麼樣？他們算得上「士」嗎？

結果他的老師說：「噫！斗筲之人，何足算也？」這些器識狹小的人算得上什麼？也就是說，他們離這樣一個士的標準還太遠太遠。

其實，「士」的這三個標準，是孔子對一個成熟的、能夠在職業崗位上有所擔承的人的質量描述。

士的最高標準是「不辱君命」，這很自然會讓我們想起戰國時候趙國的藺相如。大家看《史記·廉頗藺相如列傳》，會注意到「完璧歸趙」這個故事。

當年趙王得到價值連城的和氏璧，秦王想設法奪過來。於是他派使者告訴趙王說，我願意用十五座城池來換這塊璧。趙王知道秦是虎狼之國，這塊璧一旦拿到秦國就沒有辦法再拿回來。藺相如說，如果我們不去的話是自己理虧，我帶著這塊璧去，如果不能換回城池，我豁出命來也不會讓它落在秦王之手，有我在就有這塊璧在。

等藺相如帶著和氏璧來到秦國，秦王就隨隨便便在偏殿接見，並讓大臣、美人嘻嘻哈哈地傳看這無價之寶。藺相如一看就明白了，這塊玉在這裡不受尊敬，就像趙國不受尊敬一樣，要拿回來是很難的事情。於是他就跟秦王說，大王，這塊美玉是有瑕疵的，你給我，我指給你看。等秦王把這塊璧還到他手裡，藺相如退後幾步靠在柱子上，怒髮上衝冠，持璧而立，跟秦王說，你在這樣一個地方迎接這塊玉，是對寶玉、也是對趙國的不尊重。你知道我們來之前，焚香頂禮，齋戒十五天，以示對秦國的尊重。我奉玉而來，而你隨便把這塊玉傳與大臣、美人，這樣一個懈慢的態度就讓我知道，你們不是真正想要用城池來換和氏璧的。如果你真要這塊玉，你也要像我們一樣齋戒焚香十五天，而且你要先把城池劃給我們，我才能夠再把這塊玉給你。不然的話，我的頭和這塊玉現在就同時撞碎在你金殿的大柱上。秦王害怕了，趕緊答應了他的要求。

藺相如知道秦王不會履行諾言，所以連夜讓家人帶著這塊美玉逃回了趙國。他自己則留下來，最後跟秦王做一個交待。他對秦王說，我知道你沒有真正給我們城池之心，現在完璧已經歸趙了。

這樣的例子在中國古代典籍中並不缺乏。在一個突變的情形下，一個人怎麼樣能夠有所擔當，其實是一個成熟的人在職業角色中所要受到的一種考評。人怎麼樣可以變得無畏，可以變得淡定而不倉皇？這需要在心中找到一個寄託。這個寄託不見得是大家共同認可的一個宏大理想，也不見得是一種權勢、金錢之類的東西。可以說，每一個人都有自己的「達文西密碼」，每一個人的生命中一定有他自己最在乎的東西，但凡找到這樣一個寄託，就會給你這一生找到一個依憑，會找到自己的一個內心根據地。

在《論語》中，一切高遠的理想，都建立在樸素的起點上。我們要相信思想的力量是這個世界上最巨大的力量之一。中國知識分子所要的並不是一種物質生活的奢子欲居九夷。
或曰：「陋，如之何？」
子曰：「君子居之，何陋之有？」
——《論語・子罕》

侈，但他們一定要心靈悠遊上的奢侈。

有一次孔子說想搬到九夷，也就是東方偏遠的少數民族地區去住。有的勸他說：「陋，如之何？」那麼一個簡陋的地方，怎麼好住呢？孔子卻淡淡地回答說：「君子居之，何陋之有？」

這句話可以從兩個角度來理解。第一個角度，是君子有天下使命，不管這個地方是奢華的還是簡陋的，對他來講只是一個外在環境而已；第二個角度，就是君子的內心有一種恆定的能量，他可以使得周邊熠熠生輝，繁華似錦，他自己生命裡面的氣場可以去改變一個簡陋的地方。

唐代大詩人劉禹錫寫的〈陋室銘〉大家都熟悉，在這樣短短一篇銘文裡面，他把古往今來的名士對於簡易的樸素居住環境的這種判讀全都呈現出來了。他說，我們居住的這種物質環境可能無法改變，也無須苛求，你周邊來往的人才是最重要的環境，所謂「談笑有鴻儒，往來無白丁」，如果你和朋友之間談論的是共同的志向和共同的寄託，大家有共同的理想，那麼這種居住條件的簡陋就一點都不重要了。

所以，理想之道是什麼？就是給我們一個淡定的起點，給我們一點儲備心靈快樂的資源。

其實我們真正讀懂了「侍坐篇」，看到了「吾與點也」這句喟歎，知道這樣一位萬世師表的聖人，心中對於那種「浴乎沂，風乎舞雩」，在「莫（暮）春」時節「詠而歸」的生活方式心存嚮往的時候，我們就知道，這種闡述跟莊子所說的獨與天地精神共往來是如出一轍的。

也就是說，所有古聖先賢首先是站在個人的價值坐標系上，了解了自己心靈的願望，然後才會有宏圖大志想在這個世界上有所建樹。

我們都想要一生建立一個大的坐標，對於前方的遠景找到一個起點。讓我們從自知之明去建立心靈的智慧，讓我們走進《論語》，也做孔子席前一個安靜的學生，跨越這千古的滄桑，在今天看一看他那淡定的容顏，想一想他讓我們去到自然中的鼓勵，在我們每一天忙碌的間歇裡面，給自己一點點心靈的儀式，而不至於像那個人格分裂的演員一樣不敢面對自己的內心。其實在今天這樣一個後工業文明的社會裡，《論語》傳遞出的這樣一種溫柔的思想力量，淡定的、清明的理念，它鼓勵了我們對內心的關照，讓我們有理由相信我們的理想是有根的。

理想之道
就是給我們一點儲備心靈快樂的資源。
——于丹心語

于丹《論語》心得之七

人生之道

孔夫子將他的一生概括爲六個階段，
他的這種人生軌跡對於我們現代人來說，仍有許多啟迪意義。
關鍵要看我們如何汲取這種智慧，
來使自己的人生更富有效率和價值。

子在川上，
曰：「逝者如斯夫！不舍晝夜。」
——《論語・子罕》

古往今來，光陰之歎是我們看到最多的感慨。這種感慨在《論語》中也不例外，「子在川上，曰：逝者如斯夫」（《論語・子罕》），這是大家都熟悉的一句話。這句話很含蓄，但是其中又包含著多少滄桑之感？大家知道，著名的天下第一長聯上聯一開始就說：「五百里滇池，奔來眼底」。下聯的對句呢，是「數千年往事，注到心頭。」（孫髯，〈題昆明大觀樓〉）哲人眼中滾滾奔流的江河水，它不只是一種自然存在，其中流淌的還有挽不回、留不住的光陰。

杜甫說，「人生有情淚沾臆，江水江花豈終極」（〈哀江頭〉）；劉禹錫說，「人世幾回傷往事，山形依舊枕寒流」（〈西塞山懷古〉）。人生有限，自然永恆，這種強烈的反差，足以帶給人們強烈的心靈震撼，讓你愴然泣下。

難怪唐代詩人張若虛在〈春江花月夜〉裡發出那種無端之問：「江畔何人初見月？江月何年初照人？人生代代無窮已，江月年年只相似。不知江月待何人，但見長江送流水。」

在這天地幽幽，物序流轉中，每一個人都是一個渺小的、轉瞬即逝的生命，我們需要有一種什麼樣的人生規劃呢？當然，這種規劃是艱難的，因為規劃本身已經意味著捨棄了很多。

就在孔夫子看著流水興歎的同時，他也對自己，同時給他的學生，也給千年萬代的後人描述了這樣的一種人生軌跡：

吾十有五而志於學，三十而立，四十而不惑，五十而知天命，六十而耳順，七十而從心所欲，不踰矩。（《論語・為政》）

這是一個粗略的人生坐標，在這個坐標上，有幾個重要階段被特別地強調出來。讓我們看一看聖人所描繪的這個人生坐標，看它對我們今天還有什麼樣的借鑒意義。

其實人的一生不過是從光陰中借來的一段時光，歲月流淌過去，我們自己也就把這段生命鐫刻成了一個樣子，它成為我們的不朽，成為我們的墓誌銘。

每一個人都有理由去描述他的理想，但是這一切要從人的社會化進程開始。從一個自然人轉化為一個有社會規則制約的人，這就是學習的起點。孔子的「十五志於學」，是他自己的一個起點，也是他對學生的一種要求。

孔子自己經常說，「我非生而知之者，好古，敏以求之者也。」（《論語・述而》）

他說自己不是生下來就了解很多事情，只不過是對古代文化、對古人所經歷的事情非常感興趣，而且能夠孜孜以求，一直認真學習而已。

今天我們要建立一個學習型的社會，那麼什麼樣的學習是好的學習呢？

國際上有一個通行的說法，好的學習是導致行為改變的學習。這顛覆了我們過去的認識。一直以來，我們以為導致思維改變的學習才是好的學習。比如一個觀點，一個理論，哪怕一個道聽塗說的見聞，入乎耳，發乎口，可以再去講給別人聽，這就是一種學習。但是在今天，只有導致一個人整個價值體系重塑，行為方式變得更有效率，更便捷，更合乎社會要求的學習，才是好的學習。

在今天這個資訊時代，可學的東西實在太多了。現在的孩子已經不只是「十五向學」了，很多比五歲還要早就開始學習了。但是都學了什麼呢？不少孩子會背圓周率，能夠背到小數點後很多很多位；有的孩子能夠背長長的古詩，成為在客人面前表演的節目。但是這些對他這一生真的有用嗎？今天的向學還有多少是孔子所說的「為己之學」？還有多少能夠學以致用？

在我們這個資訊爆炸的時代，我們最大的苦惱是資訊太多，我們最大的難題是選擇的難題，因此就更需要有選擇、有規劃地進行學習。

「過猶不及」，這是孔子的觀點。再好的東西都有它的度，與其貪多嚼不爛，把自己的腦子複製成一個電腦的記憶體，還不如把有限的知識融會貫通，融入自己的生命。

孔子說，「學而不思則罔，思而不學則殆」（《論語・爲政》），一定要一邊學，一邊想，一邊應用。他所提倡的是這樣一種從容地把有限的知識放大到極限的學習方式。

我們現在的學院式教育有一個規範長度，但寬度卻可以改變。也許孔子提倡的這樣一種學與思結合的方式會給我們非常好的啟發。

經過這樣的學習、歷練，我們逐漸地提升自己、有所感悟，這樣就走到了三十歲。

> 「三十而立」，是我們常常掛在嘴邊的一句話。幾乎每個人到了這個年紀，都會捫心自問：我「立」起來了嗎？
>
> 那麼怎樣才算立起來了？是否只要有車，有房，或者有了一個什麼樣的職位就算立起來了呢？而立之年對於人的一生又有著怎樣重要的作用呢？

三十而立，就是建立心靈的自信。
——于丹心語

三十這個年紀，在今天，在這個心理斷乳期大大錯後的時代，尤其是在大都市裡，還被稱作「男孩」「女孩」，那麼怎樣判斷一個人在這個世界上是否「立」起來了呢？對於「立」字，應該有什麼樣的擔當呢？

大家知道，黑格爾提出了「正反和」三段論。人最早接受的教育一般都是正的，比如在剛剛讀小學的時候，他相信太陽是明亮的，花朵是鮮紅的，人心是善意的，世界是充滿溫情的，王子和公主最終是可以在一起的，生活中是沒有憂傷的。其實這就是正的結果。但是長到十幾歲的時候，就會出現比較強烈的叛逆心理，二十多歲剛剛步入社會時，就會覺得這個世界上一切都不盡人意，覺得成人世界欺騙了自己，覺得生活中滿是醜陋、猥瑣、卑鄙和欺詐。這就是我們經常說的「小憤青」。這個時候，青春的成長有它特有的蒼涼，人必然表現出一種反彈。那麼走到三十歲，應該是人生「和」的階段，就是既不像十來歲時覺得眼前一片光明，也不像二十多歲時覺得一片慘淡。

三十而立的這個「立」字，首先是內在的立，然後才是在社會坐標上找到自己的位置。

從內在的心靈獨立這個意義上來講，真正好的學習，是把一切學習用於自我，讓學到的東西為我所用。這是中國文化要求的一種學習方式。

人如何達到這樣一種一切為我所用的融合境界呢？

中國人的學習有兩種方式，一種是「我注六經」，另外一種是「六經注我」。

前一種方式需要皓首窮經，等頭髮都讀白了，把所有的書讀完了，才可以去給經典做注解。

而後一種方式是更高境界的學習。所謂「六經注我」，就是學習的目的是以經典所傳達的精神來詮釋自己的生命。

三十歲這個年紀，是一個建立心靈自信的年紀。這種自信不是與很多外在的事物形成對立，而是形成一種融合與相互提升。這就像泰山上的一副對聯，叫做「海到盡頭天做岸，山登絕頂我為峰」。這是中國人對於山川的一種感受，它講的不是征服，而是山川對自我的提升。就像大海到了盡頭，以蒼天為岸，對自己是一種拓展；人登上山巒的頂峰，並不是說我把高山踩在腳下，而是說我站在山頂，高山提升了我的高度。

其實這就是六經注我的一種境界。

孔子一直在教學生一種樸素的簡約的生活方式，先把眼前的事情做好，很多東西季路問事鬼神。子曰：「未能事人，焉能事鬼？」曰：「敢問死。」曰：「未知生，焉知死？」

——《論語・先進》

不該操心的不去操心。

我們知道，「子不語怪、力、亂、神」（《論語・述而》）。孔子之所以不願意提及神、鬼這些東西，其實也是他著眼於現實的表現。

比如子路問鬼神之事，孔子淡淡地對他說：「未能事人，焉能事鬼？」活人的事你還沒弄明白，怎麼先想著去侍奉死人？就是說，學習還是要先樸實一點，從眼前開始，別去考慮虛無玄遠的東西。

子路不甘心，說：「敢問死。」死亡是怎麼回事？

老師又淡淡地告訴他：「未知生，焉知死？」連生的道理還不明白，怎麼能夠懂得死？

孔子的這個態度對我們今天仍很有啟發，在學習的時候，先要把我們生命中能夠把握的東西盡可能掌握，先不要超越年齡去考慮那些遙不可及或者玄而又玄的東西。只有這樣一點一點學起來，到了該立的年齡才真正可以立起來。

所以「三十而立」，我的理解並不是通過一個外在的社會坐標來衡量你是否已經成功，而是由內在的心靈標準衡定你的生命是否開始有了一種清明的內省，並且從容不迫，開始對你做的事情有了一種自信和堅定。

超乎功利去做一件內心真正認定的事情，這大概是「立」的一種見證。

柳宗元筆下的蓑笠翁，在嚴冬時節「獨釣寒江雪」，完全是為了垂釣而垂釣；晉代名士王徽之在雪夜乘小舟去訪問朋友戴逵，到了朋友的門前不敲門就轉身走了。為什麼？他因為想念這個朋友，乘興而來；到了朋友門前，興盡而返。這就是「雪夜訪戴」的故事。這些古人，都忠於自己的心靈，心靈的指向決定著行為的方向。

從三十到四十，人們就從「而立」之年步入了孔夫子所說的「不惑」之年。這應當是人生最好的一段時光。

但每個人到四十歲時都能做到不惑嗎？在現代社會，四十歲上下的中年人，上有老下有小，工作上已經成爲骨幹，壓力又非常大，在這樣的環境中，怎樣才能做到內心不惶惑呢？

關於「惑」這個概念，《論語》中有過多次闡述。人怎麼樣才能夠真正做到內心不惶惑？這需要大智慧。

從而立到不惑，這是人生最好的光陰。一個人在三十歲以前是用加法生活的，就

子曰：
「中庸之爲德也，其至矣乎！民鮮久矣。」
——《論語・雍也》

是不斷地從這個世界上收集他所需要的東西，比如經驗、財富、情感、名譽等等。但是，物質的東西越多，人就越容易迷惑。

三十歲以後，就要開始學著用減法生活了，也就是要學會捨棄那些不是你心靈真正需要的東西。

我們的內心就像一棟新房子，人剛剛搬進去的時候，都想著要把所有的家具和裝飾擺在裡面，結果到最後發現這個家擺得像胡同一樣，反而沒有地方放自己了。這就被物質所奴役了。

而學做減法，就是把那些不想交的朋友捨掉了，不想做的事情拒絕了，不想掙的錢不要了。當敢於捨棄、知道如何捨棄的時候，人才真正接近不惑的狀態。

那麼什麼叫做不惑?就是人能夠自覺按照中庸的理念去思考、行事。即使外部世界給你許多不公正、打擊、缺憾，你也能在一個坐標上迅速建立自己應有的位置。

「中庸」，是中國古代一個至高的行為標準，它是哲學上講的那個最合適的「度」。但現在往往被大家理解為平庸和圓滑，認為中庸之道就是和稀泥。

其實，對於一種行事方法的判斷，無所謂什麼是正確的方法，只有什麼是合適的方法，而合適往往不是走到極端的。「四書」裡面有《中庸》這本書，《中庸》說：

「喜怒哀樂之未發，謂之中；發而皆中節，謂之和。中也者，天下之大本也；和也者，天下之達道也。」就是說，中庸的理想狀態，是一切處於和諧之中，這種和諧就是天地萬物各安其位。

著名哲學家馮友蘭先生有這樣一句話，叫做「闡舊邦以輔新命，極高明而道中庸。」中庸之道其實是通往極高明境界的一種適當的方法。它的特點正如中國古人所說，是「絢爛之極而歸於平淡」，在你二十歲、三十歲的時候，曾經風發揚厲過；走到不惑的時候，才表現為淡定而從容。而當走到這樣一個階段的時候，人的很多標準都會發生變化。那麼，再過十年，等到五十歲的時候，又會發生新的變化。

> 孔子所說的知天命，是指什麼呢？是人們常說的「命中有時終須有，命中無時莫強求」嗎？是一個人到了五十歲，就應該聽天由命了嗎？

要回答這個問題，首先要明白孔子所說的「知天命」究竟是什麼意思。

孔子說：「不怨天，不尤人；下學而上達。知我者其天乎？」（《論語・憲問》）皇侃對這段話的解釋是：「下學，學人事；上達，達天命。我既學人事，人事有否有物質的東西越多，人就越容易迷惑。
——于丹心語

泰，故不尤人；上達天命，天命有窮有通，故我不怨天也。」可見，「知天命」關鍵在於一個「知」字，要能夠了解什麼是自己的天命。當自己能夠客觀認識命運中的窮與通，人世間的好與壞，知道這一切都很自然，那麼你就能理性把握，平靜應對。

「不怨天，不尤人」，是我們今天經常說的話，但這樣區區六個字容易做到嗎？一個人不去抱怨，就意味著他硬生生地把很多可以宣洩出去的怨氣、苛責都壓在了自己的心裡，不再向他人推卸的同時就意味著給自己少了很多開脫的理由。這多麼難啊！

那麼孔子為什麼可以做到呢？就是因為在他自己看來，一個人內心的完善，合乎大道的追求，比你要求這個社會應該如何如何，要求別人應該怎樣怎樣，都要重要得多。

孔子說：「君子上達，小人下達。」（《論語．憲問》）小人才會在人際糾紛中不斷地蜚短流長，而君子則更看重在自己的內心建立一種對大道的信仰和追求，這個大道就是孔子所說的天命。孔子說：「不知命，無以為君子也。不知禮，無以立也。不知言，無以知人也。」（《論語．堯曰》）

知命、知禮、知言，這三個境界在人生中的順序是倒著的：我們都是最先知言，

在與人交談和讀書中了解這個社會，了解他人；但是知言還不夠，還不足以在社會上立足。還需要你懂得禮儀，能夠充分尊重他人。多一分尊重，就會少一分抱怨。更高的一個層次是知命。知命就達到了孔子所說的君子的境界，他已經建立了一個循環的系統，他內心會有一種淡定的力量去應對外界。

五十知天命，也就是說到這個時候已經有了一種內心的定力，基本上可以做到不怨天、不尤人，不為外物所動了。

莊子的〈逍遙遊〉中也有類似的一個表述，它說「舉世而譽之而不加勸，舉世而非之而不加沮。定乎內外之分，辯乎榮辱之境，斯已矣。」

就是說，當滿世界的人都在誇讚你的時候，你不會因為這種鼓舞而多往前走一步；而當全社會都在指責你，都在非難你，都在說你做錯的時候，你的內心並不洩氣，依舊會堅持你認定的想法。這樣才叫做認清了「內」與「外」，明白了「榮」與「辱」。

所以，所謂成長是內心在歷練中的逐漸強大，所謂人生的歸位是把外在的東西變成內心的能量。

我們談論「知天命」這個境界的時候，很自然會聯想起金庸武俠小說中寫到的獨

知天命就是
內心有一種定力去應對外界。
——于丹心語

孤求敗的境界。

在中國的武俠小說中，一個少年劍俠初出道之時，往往用的是一口天下無雙、鋒利無比的寶劍，那蕭蕭劍氣、舞動的風采真是絢爛之極；等到他武藝精進，真正安身立命，成為一個門派的掌門人，或者在江湖上成為一個有名的劍客的時候，這個人用的武器反而可能是一口不開刃的鈍劍。因為鋒利現在對他來講已經不重要了，他的內功開始變得沉渾雄厚；等到這個人已經成為名震江湖的大俠，他的武功已經超越了一個一個的流派劃分而出於其上的時候，這個人可能只用一根木棍。就是說，金屬那樣的一種鋒利和那種質地對他來講也不重要了，他的手裡只要隨便拿個東西就夠了；而等他真正走到至高的境界，也就是獨孤求敗的境界，求一敗而不可得，這個時候他的手中是沒有兵器的，他雙手一出，就能揮出劍氣，所有的武藝都融會貫通在他的內心裡。此時敵人已經不能和他對招，因他已經到了「無招」的境界，因為他的無招，故而對手不能破解。

融會貫通的境界，一直是中國文化所崇尚的最高的境界。孔子所謂的「知天命」，其實就是把學習的各種道理，最後達到了一種融會和提升。到了這個境界以後，就該進入孔子所說的「耳順」的境界了。

耳順，就是不論什麼樣的話都能聽得進去，都能站在發言者的立場去想問題。

但在現實生活中，我們經常會遇到不順心的事，聽到不好聽的話。我們如何才能眞正做到耳順呢？

在對天命有了透徹的了解，自己的內心有了巨大的定力之後，孔子說，「六十而耳順」。此時，你能做到最大限度地尊重他人，你能理解任何一件事情存在的道理，你能虛心傾聽各種聲音，並站在別人的出發點上去了解他為什麼這樣說。

這種境界，用中國文化的一個詞來表述，就是「悲天憫人」，在真正了解所有人的利益與出發點的前提下，實現理解和包容。

也就是說，當以自己的價值體系去看待其他許多人的生活方式時，我們是有理由驚訝的；但是，如果你知道他帶著什麼樣的生活歷程走到今天，也就是你的這個體系能夠進入到他的體系，也許就會多了一些諒解。

有一句諺語說得好：兩朵雲只有在同一高度相遇，才能成雨。

耳順，
就是悲天憫人，就是理解與包容。
——于丹心語

其實耳順之人是什麼呢？就是不管這個雲在五千公尺還是五百公尺，他總能感知到這個高度。這就是孔夫子面對那麼多不同的學生都能夠因材施教的道理。

一個人要想做到耳順，就要使自己無比遼闊，可以遇合不同的高度；而不是刻舟求劍，守株待兔，以自己恆定的標準堅守在某一個高度。

用這樣的觀點來解釋「中庸」也許更為恰當。中庸其實是學習了所有外在知識之後，經過內心的陶冶與熔鑄，達到的一個融會貫通的境界。

這就好像我們小學、中學的時候經常做的一個物理實驗：老師給一枝鉛筆，一個圓，將圓劃成七等份，再分別塗上七種顏色，然後戳在筆尖上快速旋轉，結果呈現的是白色。這種白就是七種顏色絢爛之極之後融合而成的一種顏色。

孔子「耳順」的境界，其實就是外在的天地之理在內心的融合。有了這種融合做基礎，才能達到孔子所說的「從心所欲不踰矩」。

當所有的規矩大道已經變爲你的生命的習慣時，你就能夠做到從心所欲，這可以說是每一個生命個體所追求的最高境界。但是這樣的一個境界看似平易，在

此之前卻要經歷千錘百煉。

我曾經看到這樣一個故事：

在一座佛寺裡供著一個花崗岩雕刻的非常精緻的佛像，每天都有很多人來到佛像前膜拜。而通往這座佛像的臺階也是由跟它採自同一座山的花崗岩砌成的。

終於有一天，這些臺階不服氣了，他們對那個佛像提出抗議說，你看我們本是兄弟，來自於同一座山，憑什麼人們都踩著我們去膜拜你啊？你有什麼了不起啊？

那個佛像淡淡地對它們說，因為你們只經過四刀就走上了今天的這個崗位，而我是經過千刀萬剮才得以成佛。

我們看孔子所描述的人生境界，越到後來越強調內心，越到後來越從容和緩，而在這從容之前，其實是要經歷千錘百煉的。

孔子所說的這樣一個從十五到七十的人生歷程，對於我們來講，也是不同的人生階段可以參照的一面鏡子。通過它，我們可以比照一下自己的心靈是否已經立起來了，是否少了一些迷思，是否已經通了天地大道，是否以包容悲憫去體諒他人，是否

只有建立內心的價值系統，
才能把壓力變成生命的張力。
——于丹心語

終於可以做到從心所欲。

同時還要看到，在當今這樣一個加速發展的社會裡，我們需要更加有效率的生活。

其實人的年齡有生理年齡，有心理年齡，還有社會年齡。如果我們在二十歲、三十歲能夠提前感悟到四十歲、五十歲的境界，已經建立了明晰的內心價值系統，已經能夠把社會給予的壓力變為一種生命反張力，已經可以做到從心所欲那樣的一種淡定從容……那麼我們說，這樣的生命，才是有效率的生命。

英國的科學家公布過一個實驗：

他們為了試一試南瓜這樣一種普普通通的廉價的植物生命力能有多強，就在很多很多同時生長的小南瓜上加砝碼，砝碼的重量就是小南瓜所能承受的極限。

這樣，不同的南瓜壓不同的砝碼，只有一個南瓜壓得最多。從一天幾克到幾十克、幾百克、幾千克，這個南瓜成熟的時候，上面已經壓了幾百斤的重量。

最後的實驗是把這個南瓜和其他南瓜放在一起，大家試著一刀剖下去，看質地有什麼不同。

當別的南瓜都隨著手起刀落噗噗地打開的時候，這個南瓜卻把刀彈開了，把斧子也彈開了，最後，這個南瓜是用電鋸吱吱嘎嘎鋸開的。它的果肉的強度已經相當於一株成年的樹幹！

這是一個什麼實驗呢？其實就是一個生命實驗，這就是我們現代人所處的外在環境跟我們內在反張力最好的寫照。

在當今社會這樣的競爭壓力下，我們有理由不提前成熟嗎？「只爭朝夕」這句話用在今天是再合適不過了，一萬年太久，七十年也太久。

學習《論語》，學習任何經典，所有古聖先賢的經驗最終只有一個真諦，就是使我們的生命在這些智慧光芒的照耀下，提升效率，縮短歷程，使我們盡早建立一個君子仁愛情懷，能夠符合社會道義標準，不論是對自己的心還是對於社會崗位，都有一種無愧的交待。

我想聖賢的意義就在於，他以簡約的語言點出人生大道，而後世的子孫或蒙昧地，或自覺地，或痛楚地，或歡欣地，一一去實踐，從而形成一個民族的靈魂。

讓那種古典的精神力量在現代的規則下圓潤地融合成為一種有效的成分，讓我們每一個人真正建立起來有效率、有價值的人生，大概這就是《論語》給予我們的終極意義。

《論語》原文

目次

【學而第一】

一・一　子曰：「學而時習之，不亦説乎？有朋自遠方來，不亦樂乎？人不知而不慍，不亦君子乎？」

一・二　有子曰：「其為人也孝弟，而好犯上者，鮮矣；不好犯上，而好作亂者，未之有也。君子務本，本立而道生。孝弟也者，其為仁之本與！」

一・三　子曰：「巧言令色，鮮矣仁。」

一・四　曾子曰：「吾日三省吾身：為人謀而不忠乎？與朋友交而不信乎？傳不習乎？」

一・五　子曰：「道千乘之國，敬事而信，節用而愛人，使民以時。」

一・六　子曰：「弟子入則孝，出則弟，謹而信，汎愛眾，而親仁。行有餘力，則以學文。」

一・七　子夏曰：「賢賢易色，事父母，能竭其力，事君，能致其身，與朋友交，言而有信；雖曰未學，吾必謂之學矣。」

一・八　子曰：「君子不重則不威；學則不固。主忠信，無友不如己者，過則勿憚改。」

一・九　曾子曰：「慎終，追遠，民德歸厚矣！」

一・一〇 子禽問於子貢曰：「夫子至於是邦也，必聞其政。求之與？抑與之與？」子貢曰：「夫子溫、良、恭、儉、讓以得之。夫子之求之也，其諸異乎人之求之與！」

一・一一 子曰：「父在，觀其志；父沒，觀其行；三年無改於父之道，可謂孝矣。」

一・一二 有子曰：「禮之用，和為貴。先王之道，斯為美，小大由之。有所不行，知和而和，不以禮節之，亦不可行也。」

一・一三 有子曰：「信近於義，言可復也。恭近於禮，遠恥辱也。因不失其親，亦可宗也。」

一・一四 子曰：「君子食無求飽，居無求安，敏於事而慎於言，就有道而正焉，可謂好學也已。」

一・一五 子貢曰：「貧而無諂，富而無驕，何如？」子曰：「可也。未若貧而樂，富而好禮者也。」
子貢曰：「詩云：『如切如磋，如琢如磨』，其斯之謂與？」
子曰：「賜也，始可與言詩已矣！告諸往而知來者。」

一・一六 子曰：「不患人之不己知，患不知人也。」

【為政第二】

二・一　子曰：「為政以德，譬如北辰，居其所而眾星共之。」

二・二　子曰：「詩三百，一言以蔽之，曰：『思無邪』。」

二・三　子曰：「道之以政，齊之以刑，民免而無恥；道之以德，齊之以禮，有恥且格。」

二・四　子曰：「吾十有五而志於學，三十而立，四十而不惑，五十而知天命，六十而耳順，七十而從心所欲，不踰矩。」

二・五　孟懿子問孝。子曰：「無違。」
樊遲御，子告之曰：「孟孫問孝於我，我對曰，『無違』。」
樊遲曰：「何謂也？」子曰：「生，事之以禮；死，葬之以禮，祭之以禮。」

二・六　孟武伯問孝。子曰：「父母唯其疾之憂。」

二・七　子游問孝。子曰：「今之孝者，是謂能養。至於犬馬，皆能有養；不敬，何以別乎？」

二・八　子夏問孝。子曰：「色難。有事，弟子服其勞；有酒食，先生饌。曾是以為孝乎？」

二・九　子曰：「吾與回言，終日不違，如愚。退而省其私，亦足以發。回也不愚。」

二・一〇　子曰：「視其所以，觀其所由，察其所安，人焉廋哉？人焉廋哉？」

二・一一　子曰：「溫故而知新，可以為師矣。」

二・一二　子曰：「君子不器。」

二・一三　子貢問君子。子曰：「先行其言而後從之。」

二・一四　子曰：「君子周而不比，小人比而不周。」

二・一五　子曰：「學而不思則罔，思而不學則殆。」

二・一六　子曰：「攻乎異端，斯害也已。」

二・一七　子曰：「由，誨女知之乎？知之為知之，不知為不知，是知也。」

二・一八　子張學干祿。子曰：「多聞闕疑，慎言其餘，則寡尤；多見闕殆，慎行其餘，則寡悔。言寡尤，行寡悔，祿在其中矣。」

二・一九　哀公問曰：「何為則民服？」孔子對曰：「舉直錯諸枉，則民服；舉枉錯諸直，則民不服。」

二・二〇　季康子問：「使民敬、忠以勸，如之何？」子曰：「臨之以莊，則敬；孝慈，則忠；舉善而教不能，則勸。」

二・二一　或謂孔子曰：「子奚不為政。」子曰：「書云：『孝乎惟孝，友于兄弟，施於有政。』是亦為政，奚其為為政？」

二・二二　子曰：「人而無信，不知其可也。大車無輗，小車無軏，其何以行之哉？」

二・二三　子張問：「十世可知也？」子曰：「殷因於夏禮，所損益可知也；周因於殷禮，所損益，可知也；其或繼周者，雖百世可知也。」

二・二四　子曰：「非其鬼而祭之，諂也。見義不為，無勇也。」

【八佾第三】

三・一　孔子謂季氏：「八佾舞於庭，是可忍也，孰不可忍也？」

三・二　三家者以雍徹。子曰：「『相維辟公，天子穆穆』，奚取於三家之堂？」

三・三　子曰：「人而不仁，如禮何？人而不仁，如樂何？」

三・四　林放問禮之本。子曰：「大哉問！禮，與其奢也，寧儉；喪，與其易也，寧戚。」

三・五　子曰：「夷狄之有君，不如諸夏之亡也。」

三・六　季氏旅於泰山。子謂冉有曰：「女弗能救與？」對曰：「不能！」子曰：「嗚呼！曾謂泰山不如林放乎？」

三·七　子曰：「君子無所爭，必也射乎！揖讓而升，下而飲，其爭也君子。」

三·八　子夏問曰：「『巧笑倩兮，美目盼兮，素以為絢兮。』何謂也？」子曰：「繪事後素。」曰：「禮後乎？」子曰：「起予者商也，始可與言詩已矣！」

三·九　子曰：「夏禮，吾能言之，杞不足徵也；殷禮，吾能言之，宋不足徵也。文獻不足故也。足，則吾能徵之矣。」

三·一〇　子曰：「禘，自既灌而往者，吾不欲觀之矣。」

三·一一　或問禘之說。子曰：「不知也。知其說者之於天下也，其如示諸斯乎！」指其掌。

三·一二　祭如在，祭神如神在。子曰：「吾不與祭，如不祭。」

三·一三　王孫賈問曰：「『與其媚於奧，寧媚於竈』，何謂也？」子曰：「不然，獲罪於天，無所禱也。」

三·一四　子曰：「周監於二代，郁郁乎文哉！吾從周。」

三·一五　子入太廟，每事問。或曰：「孰謂鄹人之子知禮乎？入太廟，每事問。」子聞之曰：「是禮也。」

三・一六　子曰：「射不主皮，為力不同科，古之道也。」

三・一七　子貢欲去告朔之餼羊。子曰：「賜也，爾愛其羊，我愛其禮。」

三・一八　子曰：「事君盡禮，人以為諂也。」

三・一九　定公問：「君使臣，臣事君，如之何？」孔子對曰：「君使臣以禮，臣事君以忠。」

三・二〇　子曰：「〈關雎〉樂而不淫，哀而不傷。」

三・二一　哀公問社於宰我。宰我對曰：「夏后氏以松，殷人以柏，周人以栗，曰使民戰栗。」子聞之曰：「成事不說，遂事不諫，既往不咎。」

三・二二　子曰：「管仲之器小哉！」或曰：「管仲儉乎？」曰：「管氏有三歸，官事不攝，焉得儉？」「然則管仲知禮乎？」曰：「邦君樹塞門，管氏亦樹塞門；邦君為兩君之好，有反坫，管氏亦有反坫。管氏而知禮，孰不知禮？」

三・二三　子語魯大師樂。曰：「樂其可知也：始作，翕如也；從之，純如也，皦如也，繹如也，以成。」

三・二四　儀封人請見，曰：「君子之至於斯也，吾未嘗不得見也。」從者見之。出，曰：「二三子何患於喪乎？天下之無道也久矣，天將以夫子為木鐸。」

三・二五　子謂〈韶〉：「盡美矣，又盡善也。」謂〈武〉：「盡美矣，未盡善也。」

三・二六　子曰：「居上不寬，為禮不敬，臨喪不哀，吾何以觀之哉？」

【里仁第四】

四・一　子曰：「里仁為美。擇不處仁，焉得知？」

四・二　子曰：「不仁者，不可以久處約，不可以長處樂。仁者安仁，知者利仁。」

四・三　子曰：「唯仁者能好人，能惡人。」

四・四　子曰：「苟志於仁矣，無惡也。」

四・五　子曰：「富與貴，是人之所欲也；不以其道得之，不處也。貧與賤，是人之所惡也；不以其道得之，不去也。君子去仁，惡乎成名？君子無終食之間違仁，造次必於是，顛沛必於是。」

四・六　子曰：「我未見好仁者、惡不仁者。好仁者，無以尚之；惡不仁者，其為仁矣，不使不仁者加乎其身。有能一日用其力於仁矣乎？我未見力不足者。蓋有之矣，我未之見也。」

四・七　子曰：「人之過也，各於其黨。觀過，斯知仁矣。」

四・八　子曰：「朝聞道，夕死可矣。」

四・九　子曰：「士志於道，而恥惡衣惡食者，未足與議也。」

四・一〇　子曰：「君子之於天下也，無適也，無莫也，義之與比。」

四・一一　子曰：「君子懷德，小人懷土；君子懷刑，小人懷惠。」

四・一二　子曰：「放於利而行，多怨。」

四・一三　子曰：「能以禮讓為國乎？何有！不能以禮讓為國，如禮何！」

四・一四　子曰：「不患無位，患所以立；不患莫己知，求為可知也。」

四・一五　子曰：「參乎！吾道一以貫之。」曾子曰：「唯。」子出。門人問曰：「何謂也？」曾子曰：「夫子之道，忠恕而已矣！」

四・一六　子曰：「君子喻於義，小人喻於利。」

四・一七　子曰：「見賢思齊焉，見不賢而內自省也。」

四・一八　子曰：「事父母幾諫。見志不從，又敬不違，勞而不怨。」

四・一九　子曰：「父母在，不遠遊，遊必有方。」

四・二〇　子曰：「三年無改於父之道，可謂孝矣。」

四·二一　子曰：「父母之年，不可不知也。一則以喜，一則以懼。」

四·二二　子曰：「古者言之不出，恥躬之不逮也。」

四·二三　子曰：「以約失之者，鮮矣！」

四·二四　子曰：「君子欲訥於言，而敏於行。」

四·二五　子曰：「德不孤，必有鄰。」

四·二六　子游曰：「事君數，斯辱矣；朋友數，斯疏矣。」

【公冶長第五】

五·一　子謂公冶長：「可妻也。雖在縲絏之中，非其罪也。」以其子妻之。

五·二　子謂南容：「邦有道，不廢；邦無道，免於刑戮。」以其兄之子妻之。

五·三　子謂子賤：「君子哉若人！魯無君子者，斯焉取斯？」

五·四　子貢問曰：「賜也何如？」子曰：「女，器也。」曰：「何器也？」曰：「瑚璉也。」

五·五　或曰：「雍也仁而不佞。」子曰：「焉用佞？禦人以口給，屢憎於人。不知其

仁，焉用佞？」

五・六　子使漆雕開仕。對曰：「吾斯之未能信。」子說。

五・七　子曰：「道不行，乘桴浮於海。從我者，其由與？」子路聞之喜。子曰：「由也，好勇過我，無所取材。」

五・八　孟武伯問子路仁乎？子曰：「不知也。」又問。子曰：「由也，千乘之國，可使治其賦也。不知其仁也。」「求也何如？」子曰：「求也，千室之邑，百乘之家，可使為之宰也。不知其仁也。」「赤也何如？」子曰：「赤也，束帶立於朝，可使與賓客言也。不知其仁也。」

五・九　子謂子貢曰：「女與回也孰愈？」對曰：「賜也何敢望回？回也聞一以知十，賜也聞一以知二。」子曰：「弗如也！吾與女弗如也。」

五・一〇　宰予晝寢。子曰：「朽木不可雕也，糞土之牆不可杇也，於予與何誅？」子曰：「始吾於人也，聽其言而信其行；今吾於人也，聽其言而觀其行。於予與改是。」

五・一一　子曰：「吾未見剛者！」或對曰：「申棖。」子曰：「棖也慾，焉得剛？」

五・一二　子貢曰：「我不欲人之加諸我也，吾亦欲無加諸人。」子曰：「賜也，非爾所及也。」

五・一三　子貢曰：「夫子之文章，可得而聞也；夫子之言性與天道，不可得而聞也。」

五・一四　子路有聞，未之能行，唯恐有聞。

五・一五　子貢問曰：「孔文子何以謂之『文』也？」子曰：「敏而好學，不恥下問，是以謂之『文』也。」

五・一六　子謂子產：「有君子之道四焉：其行己也恭，其事上也敬，其養民也惠，其使民也義。」

五・一七　子曰：「晏平仲善與人交，久而敬之。」

五・一八　子曰：「臧文仲居蔡，山節藻梲，何如其知也？」

五・一九　子張問曰：「令尹子文三仕為令尹，無喜色；三已之，無慍色。舊令尹之政，必以告新令尹。何如？」子曰：「忠矣。」曰：「仁矣乎？」曰：「未知，焉得仁？」「崔子弒齊君，陳文子有馬十乘，棄而違之。至於他邦，則曰：『猶吾大夫崔子也。』違之。之一邦，則又曰：『猶吾大夫崔子也。』違之。何如？」子曰：「清矣。」曰：「仁矣乎？」曰：「未知，焉得仁？」

五・二〇　季文子三思而後行。子聞之，曰：「再，斯可矣。」

五・二一　子曰：「寧武子，邦有道，則知；邦無道，則愚。其知可及也，其愚不可及也。」

五・二二　子在陳，曰：「歸與！歸與！吾黨之小子狂簡，斐然成章，不知所以裁之！」

五・二三　子曰：「伯夷、叔齊不念舊惡，怨是用希。」

五・二四　子曰：「孰謂微生高直？或乞醯焉，乞諸其鄰而與之。」

五・二五　子曰：「巧言、令色、足恭，左丘明恥之，丘亦恥之。匿怨而友其人，左丘明恥之，丘亦恥之。」

五・二六　顏淵、季路侍。子曰：「盍各言爾志？」

子路曰：「願車馬衣輕裘，與朋友共，敝之而無憾。」

顏淵曰：「願無伐善，無施勞。」

子路曰：「願聞子之志！」

子曰：「老者安之，朋友信之，少者懷之。」

五・二七　子曰：「已矣乎！吾未見能見其過而內自訟者也。」

五・二八　子曰：「十室之邑，必有忠信如丘者焉，不如丘之好學也。」

【雍也第六】

六・一 子曰：「雍也可使南面。」

六・二 仲弓問子桑伯子。子曰：「可也，簡。」仲弓曰：「居敬而行簡，以臨其民，不亦可乎？居簡而行簡，無乃大簡乎？」子曰：「雍之言然。」

六・三 哀公問：「弟子孰為好學？」孔子對曰：「有顏回者好學，不遷怒，不貳過。不幸短命死矣，今也則亡，未聞好學者也。」

六・四 子華使於齊，冉子為其母請粟。子曰：「與之釜。」請益。曰：「與之庾。」冉子與之粟五秉。子曰：「赤之適齊也，乘肥馬，衣輕裘。吾聞之也，君子周急不繼富。」

六・五 原思為之宰，與之粟九百，辭。子曰：「毋！以與爾鄰里鄉黨乎！」

六・六 子謂仲弓曰：「犁牛之子騂且角，雖欲勿用，山川其舍諸？」

六・七 子曰：「回也，其心三月不違仁；其餘則日月至焉而已矣。」

六・八 季康子問：「仲由可使從政也與？」子曰：「由也果，於從政乎何有？」曰：「賜也可使從政也與？」曰：「賜也達，於從政乎何有？」

曰：「求也可使從政也與？」曰：「求也藝，於從政乎何有？」

六・九　季氏使閔子騫為費宰，閔子騫曰：「善為我辭焉！如有復我者，則吾必在汶上矣！」

六・一〇　伯牛有疾，子問之，自牖執其手，曰：「亡之，命矣夫！斯人也而有斯疾也！斯人也而有斯疾也！」

六・一一　子曰：「賢哉！回也。一簞食，一瓢飲，在陋巷。人不堪其憂，回也不改其樂。賢哉！回也。」

六・一二　冉求曰：「非不說子之道，力不足也。」子曰：「力不足者，中道而廢。今女畫。」

六・一三　子謂子夏曰：「女為君子儒，無為小人儒。」

六・一四　子游為武城宰。子曰：「女得人焉耳乎？」曰：「有澹臺滅明者，行不由徑。非公事，未嘗至於偃之室也。」

六・一五　子曰：「孟之反不伐，奔而殿。將入門，策其馬，曰：『非敢後也，馬不進也。』」

六・一六　子曰：「不有祝鮀之佞，而有宋朝之美，難乎免於今之世矣！」

六・一七　子曰：「誰能出不由户？何莫由斯道也？」

六·一八　子曰：「質勝文則野，文勝質則史。文質彬彬，然後君子。」

六·一九　子曰：「人之生也直，罔之生也幸而免。」

六·二〇　子曰：「知之者不如好之者，好之者不如樂之者。」

六·二一　子曰：「中人以上，可以語上也；中人以下，不可以語上也。」

六·二二　樊遲問知。子曰：「務民之義，敬鬼神而遠之，可謂知矣。」問仁。曰：「仁者先難而後獲，可謂仁矣。」

六·二三　子曰：「知者樂水，仁者樂山；知者動，仁者靜；知者樂，仁者壽。」

六·二四　子曰：「齊一變，至於魯；魯一變，至於道。」

六·二五　子曰：「觚不觚，觚哉！觚哉！」

六·二六　宰我問曰：「仁者，雖告之曰：『井有仁焉。』其從之也？」子曰：「何為其然也？君子可逝也，不可陷也；可欺也，不可罔也。」

六·二七　子曰：「君子博學於文，約之以禮，亦可以弗畔矣夫。」

六·二八　子見南子，子路不說。夫子矢之曰：「予所否者，天厭之！天厭之！」

六·二九　子曰：「中庸之為德也，其至矣乎！民鮮久矣。」

六·三〇　子貢曰：「如有博施於民而能濟眾，何如？可謂仁乎？」子曰：「何事於仁，必也聖乎！堯、舜其猶病諸！夫仁者，己欲立而立人，己欲達而達人。能近取譬，可謂仁之方也已。」

【述而第七】

七・一　子曰：「述而不作，信而好古，竊比於我老彭。」

七・二　子曰：「默而識之，學而不厭，誨人不倦，何有於我哉？」

七・三　子曰：「德之不修，學之不講，聞義不能徙，不善不能改，是吾憂也。」

七・四　子之燕居，申申如也，夭夭如也。

七・五　子曰：「甚矣吾衰也！久矣吾不復夢見周公。」

七・六　子曰：「志於道，據於德，依於仁，游於藝。」

七・七　子曰：「自行束脩以上，吾未嘗無誨焉！」

七・八　子曰：「不憤不啓，不悱不發；舉一隅不以三隅反，則不復也。」

七・九　子食於有喪者之側，未嘗飽也。

七・一〇　子於是日哭，則不歌。

七・一一　子謂顏淵曰：「用之則行，舍之則藏，惟我與爾有是夫！」

子路曰：「子行三軍，則誰與？」

七・一二　子曰：「暴虎馮河，死而無悔者，吾不與也。必也臨事而懼，好謀而成者也。」

七・一三　子曰：「富而可求也，雖執鞭之士，吾亦為之。如不可求，從吾所好。」

七・一四　子之所慎：齊、戰、疾。

七・一五　子在齊聞〈韶〉，三月不知肉味。曰：「不圖為樂之至於斯也！」

冉有曰：「夫子為衛君乎？」子貢曰：「諾。吾將問之。」

入，曰：「伯夷、叔齊何人也？」曰：「古之賢人也。」曰：「怨乎？」曰：

「求仁而得仁，又何怨！」出，曰：「夫子不為也。」

七・一六　子曰：「飯疏食、飲水，曲肱而枕之，樂亦在其中矣！不義而富且貴，於我如浮雲。」

七・一七　子曰：「加我數年，五十以學易，可以無大過矣。」

七・一八　子所雅言，詩、書、執禮，皆雅言也。

七・一九　葉公問孔子於子路，子路不對。子曰：「女奚不曰：其為人也，發憤忘食，樂以忘憂，不知老之將至云爾。」

七・二〇　子曰：「我非生而知之者，好古，敏以求之者也。」

七・二一　子不語怪、力、亂、神。

七・二二　子曰：「三人行，必有我師焉。擇其善者而從之，其不善者而改之。」

七・二三　子曰：「天生德於予，桓魋其如予何？」

七・二四　子曰：「二三子以我為隱乎？吾無隱乎爾。吾無行而不與二三子者，是丘也。」

七・二五　子以四教：文、行、忠、信。

七・二六　子曰：「聖人，吾不得而見之矣；得見君子者，斯可矣。」子曰：「善人，吾不得而見之矣；得見有恆者，斯可矣。亡而為有，虛而為盈，約而為泰，難乎有恆矣。」

七・二七　子釣而不綱，弋不射宿。

七・二八　子曰：「蓋有不知而作之者，我無是也。多聞，擇其善者而從之；多見而識之，知之次也。」

七・二九　互鄉難與言，童子見，門人惑。子曰：「與其進也，不與其退也。唯何甚！人潔己以進，與其潔也，不保其往也。」

七・三〇　子曰：「仁遠乎哉？我欲仁，斯仁至矣！」

七・三一　陳司敗問：「昭公知禮乎？」孔子曰：「知禮。」孔子退，揖巫馬期而進之，曰：「吾聞君子不黨，君子亦黨乎？君取於吳，為同姓，謂之吳孟子。君而知禮，孰不知禮？」巫馬期以告。子曰：「丘也幸，苟有過，人必知之。」

七・三二　子與人歌而善，必使反之，而後和之。

七・三三　子曰：「文，莫吾猶人也。躬行君子，則吾未之有得。」

七・三四　子曰：「若聖與仁，則吾豈敢！抑為之不厭，誨人不倦，則可謂云爾已矣！」公西華曰：「正唯弟子不能學也！」

七・三五　子疾病，子路請禱。子曰：「有諸？」子路對曰：「有之。誄曰：『禱爾於上下神祇』。」子曰：「丘之禱久矣。」

七・三六　子曰：「奢則不孫，儉則固。與其不孫也，寧固。」

七・三七　子曰：「君子坦蕩蕩，小人長戚戚。」

七・三八　子溫而厲，威而不猛，恭而安。

【泰伯第八】

八・一　子曰：「泰伯，其可謂至德也已矣！三以天下讓，民無得而稱焉。」

八・二　子曰：「恭而無禮則勞，慎而無禮則葸，勇而無禮則亂，直而無禮則絞。君子篤於親，則民興於仁；故舊不遺，則民不偷。」

八・三　曾子有疾，召門弟子曰：「啓予足！啓予手！詩云：『戰戰兢兢，如臨深淵，如履薄冰。』而今而後，吾知免夫！小子！」

八・四　曾子有疾，孟敬子問之。曾子言曰：「鳥之將死，其鳴也哀；人之將死，其言也善。君子所貴乎道者三：動容貌，斯遠暴慢矣；正顏色，斯近信矣；出辭氣，斯遠鄙倍矣。籩豆之事，則有司存。」

八・五　曾子曰：「以能問於不能，以多問於寡；有若無，實若虛，犯而不校，昔者吾友嘗從事於斯矣。」

八・六　曾子曰：「可以託六尺之孤，可以寄百里之命，臨大節而不可奪也，君子人與？君子人也。」

八・七　曾子曰：「士不可以不弘毅，任重而道遠。仁以為己任，不亦重乎？死而後已，不亦遠乎？」

八・八　子曰：「興於詩，立於禮，成於樂。」

八・九　子曰：「民可使由之，不可使知之。」

八・一〇　子曰：「好勇疾貧，亂也。人而不仁，疾之已甚，亂也。」

八・一一　子曰：「如有周公之才之美，使驕且吝，其餘不足觀也已。」

八・一二　子曰：「三年學，不至於穀，不易得也。」

八・一三　子曰：「篤信好學，守死善道。危邦不入，亂邦不居。天下有道則見，無道則隱。邦有道，貧且賤焉，恥也。邦無道，富且貴焉，恥也。」

八・一四　子曰：「不在其位，不謀其政。」

八・一五　子曰：「師摯之始，〈關雎〉之亂，洋洋乎盈耳哉！」

八・一六　子曰：「狂而不直，侗而不愿，悾悾而不信，吾不知之矣。」

八・一七　子曰：「學如不及，猶恐失之。」

八・一八　子曰：「巍巍乎！舜、禹之有天下也，而不與焉。」

八・一九　子曰：「大哉！堯之為君也！巍巍乎！唯天為大，唯堯則之。蕩蕩乎！民無能名焉。巍巍乎！其有成功也。煥乎！其有文章。」

八・二〇　舜有臣五人而天下治。武王曰：「予有亂臣十人。」孔子曰：「才難，不其然乎？唐、虞之際，於斯為盛。有婦人焉，九人而已。三分天下有其二，以服事殷。周之德，其可謂至德也已矣。」

八・二一　子曰：「禹，吾無間然矣。菲飲食，而致孝乎鬼神；惡衣服，而致美乎黻冕；卑宮室，而盡力乎溝洫。禹，吾無間然矣！」

【子罕第九】

九・一　子罕言利與命與仁。

九・二　達巷黨人曰：「大哉孔子！博學而無所成名。」子聞之，謂門弟子曰：「吾何執？執御乎？執射乎？吾執御矣。」

九・三　子曰：「麻冕，禮也；今也純，儉，吾從眾。拜下，禮也；今拜乎上，泰也。雖違眾，吾從下。」

九・四　子絕四：毋意，毋必，毋固，毋我。

九・五　子畏於匡。曰：「文王既沒，文不在茲乎？天之將喪斯文也，後死者不得與於斯文也；天之未喪斯文也，匡人其如予何？」

九・六　太宰問於子貢曰：「夫子聖者與？何其多能也？」子貢曰：「固天縱之將聖，又多能也。」

子聞之，曰：「太宰知我乎！吾少也賤，故多能鄙事。君子多乎哉？不多也。」

九・七　牢曰：「子云：『吾不試，故藝。』」

九・八　子曰：「吾有知乎哉？無知也。有鄙夫問於我，空空如也；我叩其兩端而竭焉。」

九・九　子曰：「鳳鳥不至，河不出圖，吾已矣夫！」

九・一〇　子見齊衰者、冕衣裳者與瞽者，見之，雖少，必作；過之，必趨。

九・一一　顏淵喟然歎曰：「仰之彌高，鑽之彌堅，瞻之在前，忽焉在後。夫子循循然善誘人，博我以文，約我以禮，欲罷不能。既竭吾才，如有所立卓爾。雖欲從之，末由也已！」

九・一二　子疾病，子路使門人為臣。病間，曰：「久矣哉，由之行詐也！無臣而為有臣，吾誰欺？欺天乎？且予與其死於臣之手也，無寧死於二三子之手乎！且予縱不得大葬，予死於道路乎？」

九・一三　子貢曰：「有美玉於斯，韞匵而藏諸，求善賈而沽諸？」子曰：「沽之哉！沽之哉！我待賈者也！」

九・一四　子欲居九夷。或曰：「陋，如之何！」子曰：「君子居之，何陋之有？」

九・一五　子曰：「吾自衛反魯，然後樂正，雅、頌各得其所。」

九・一六　子曰：「出則事公卿，入則事父兄，喪事不敢不勉，不為酒困，何有於我哉！」

九・一七　子在川上，曰：「逝者如斯夫！不舍晝夜。」

九・一八　子曰：「吾未見好德如好色者也。」

九・一九　子曰：「譬如為山，未成一簣，止，吾止也！譬如平地，雖覆一簣，進，吾往也！」

九・二〇　子曰：「語之而不惰者，其回也與！」

九・二一　子謂顏淵，曰：「惜乎！吾見其進也，未見其止也！」

九・二二　子曰：「苗而不秀者有矣夫！秀而不實者有矣夫！」

九・二三　子曰：「後生可畏，焉知來者之不如今也？四十、五十而無聞焉，斯亦不足畏也已！」

九・二四　子曰：「法語之言，能無從乎？改之為貴。巽與之言，能無說乎？繹之為貴。說而不繹，從而不改，吾末如之何也已矣！」

九・二五　子曰：「主忠信，毋友不如己者，過則勿憚改。」

九・二六　子曰：「三軍可奪帥也，匹夫不可奪志也。」

九・二七　子曰：「衣敝緼袍，與衣狐貉者立，而不恥者，其由也與！『不忮不求，何用不臧？』」子路終身誦之。子曰：「是道也，何足以臧？」

九・二八　子曰：「歲寒，然後知松柏之後凋也。」

九・二九　子曰：「知者不惑，仁者不憂，勇者不懼。」

九・三〇　子曰：「可與共學，未可與適道；可與適道，未可與立；可與立，未可與權。」

九・三一　「唐棣之華，偏其反而。豈不爾思？室是遠而。」子曰：「未之思也，夫何遠之有？」

【鄉黨第十】

一〇・一　孔子於鄉黨，恂恂如也，似不能言者。其在宗廟、朝廷，便便言，唯謹爾。

一〇・二　朝，與下大夫言，侃侃如也；與上大夫言，誾誾如也。君在，踧踖如也，與與如

也。

一〇・三 君召使擯，色勃如也，足躩如也。揖所與立，左右手。衣前後，襜如也。趨進，翼如也。賓退，必復命曰：「賓不顧矣。」

一〇・四 入公門，鞠躬如也，如不容。

立不中門，行不履閾。

過位，色勃如也，足躩如也，其言似不足者。

攝齊升堂，鞠躬如也，屏氣似不息者。

出，降一等，逞顏色，怡怡如也。

沒階，趨進，翼如也。

復其位，踧踖如也。

一〇・五 執圭，鞠躬如也，如不勝。上如揖，下如授。勃如戰色，足蹜蹜如有循。

享禮，有容色。

私覿，愉愉如也。

一〇・六 君子不以紺緅飾。紅紫不以為褻服。

當暑，袗絺綌必表而出之。

緇衣羔裘，素衣麑裘，黃衣狐裘。

褻裘長，短右袂。

必有寢衣，長一身有半。

狐貉之厚以居。

去喪，無所不佩。

非帷裳，必殺之。

羔裘玄冠不以弔。

吉月，必朝服而朝。

一〇・七 齊，必有明衣，布。

齊必變食，居必遷坐。

一〇・八 食不厭精，膾不厭細。

食饐而餲，魚餒而肉敗，不食。色惡，不食。臭惡，不食。失飪，不食。不時，不食。割不正，不食。不得其醬，不食。

肉雖多，不使勝食氣。

唯酒無量，不及亂。

沽酒市脯，不食。

不撤薑食，不多食。

一〇・九　祭於公，不宿肉。祭肉不出三日。出三日，不食之矣。

一〇・一〇　食不語，寢不言。

一〇・一一　雖疏食菜羹，瓜祭，必齊如也。

一〇・一二　席不正，不坐。

一〇・一三　鄉人飲酒，杖者出，斯出矣。

一〇・一四　鄉人儺，朝服而立於阼階。

一〇・一五　問人於他邦，再拜而送之。

一〇・一六　康子饋藥，拜而受之。曰：「丘未達，不敢嘗。」

一〇・一七　廄焚。子退朝，曰：「傷人乎？」不問馬。

一〇・一八　君賜食，必正席先嘗之；君賜腥，必熟而薦之；君賜生，必畜之。

侍食於君，君祭，先飯。

一〇・一九　疾，君視之，東首，加朝服，拖紳。

一〇・二〇　君命召，不俟駕行矣。

一〇・二一　入太廟，每事問。

一〇・二二　朋友死，無所歸。曰：「於我殯。」

一〇・二三　朋友之饋，雖車馬，非祭肉，不拜。

一〇・二四　寢不尸，居不容。

一〇・二五　見齊衰者，雖狎，必變。見冕者與瞽者，雖褻，必以貌。

凶服者式之。式負版者。

有盛饌，必變色而作。

迅雷風烈，必變。

一〇・二六　升車，必正立，執綏。

車中不內顧，不疾言，不親指。

一〇・二七　色斯舉矣，翔而後集。曰：「山梁雌雉，時哉！時哉！」子路共之，三嗅而作。

【先進第十一】

一一・一　子曰：「先進於禮樂，野人也；後進於禮樂，君子也。如用之，則吾從先進。」

一一・二　子曰：「從我於陳、蔡者，皆不及門也。」

一一・三　德行：顏淵，閔子騫，冉伯牛，仲弓；言語：宰我，子貢；政事：冉有，季路；文學：子游，子夏。

一一・四　子曰：「回也非助我者也！於吾言無所不說。」

一一・五　子曰：「孝哉閔子騫！人不間於其父母昆弟之言。」

一一・六　南容三復白圭，孔子以其兄之子妻之。

一一・七　季康子問：「弟子孰為好學？」孔子對曰：「有顏回者好學，不幸短命死矣！今也則亡。」

一一・八　顏淵死，顏路請子之車以為之椁。子曰：「才不才，亦各言其子也。鯉也死，有棺而無椁。吾不徒行以為之椁，以吾從大夫之後，不可徒行也。」

一一・九　顏淵死。子曰：「噫！天喪予！天喪予！」

一一・一〇　顏淵死，子哭之慟。從者曰：「子慟矣。」曰：「有慟乎？非夫人之為慟而誰為！」

一一・一一　顏淵死，門人欲厚葬之，子曰：「不可。」門人厚葬之。子曰：「回也，視予猶父也，予不得視猶子也。非我也，夫二三子也。」

一一・一二　季路問事鬼神。子曰：「未能事人，焉能事鬼？」曰：「敢問死。」曰：「未知生，焉知死？」

一一・一三　閔子侍側，誾誾如也；子路，行行如也；冉有、子貢，侃侃如也。子樂。「若由也，不得其死然。」

一一・一四　魯人為長府。閔子騫曰：「仍舊貫，如之何？何必改作？」子曰：「夫人不言，言必有中。」

一一・一五　子曰：「由之瑟，奚為於丘之門？」門人不敬子路。子曰：「由也升堂矣，未入於室也。」

一一・一六　子貢問：「師與商也孰賢？」子曰：「師也過，商也不及。」曰：「然則師愈與？」子曰：「過猶不及。」

一一・一七　季氏富於周公，而求也為之聚斂而附益之。子曰：「非吾徒也。小子鳴鼓而攻之，可也！」

一一・一八　柴也愚，參也魯，師也辟，由也喭。

一一・一九　子曰：「回也其庶乎！屢空。賜不受命，而貨殖焉，億則屢中。」

一一・二〇　子張問善人之道。子曰：「不踐迹，亦不入於室。」

一一・二一　子曰：「論篤是與，君子者乎？色莊者乎？」

一一・二二　子路問：「聞斯行諸？」子曰：「有父兄在，如之何其聞斯行之？」冉有問：「聞斯行諸？」子曰：「聞斯行之！」公西華曰：「由也問：『聞斯行諸？』子曰：『有父兄在。』求也問：『聞斯行諸？』子曰：『聞斯行之！』赤也惑，敢問。」子曰：「求也退，故進之；由也兼人，故退之。」

一一・二三　子畏於匡，顏淵後。子曰：「吾以女為死矣。」曰：「子在，回何敢死？」

一一・二四　季子然問：「仲由、冉求可謂大臣與？」子曰：「吾以子為異之問，曾由與求之問。所謂大臣者，以道事君，不可則止。今由與求也，可謂具臣矣。」曰：「然則從之者與？」子曰：「弒父與君，亦不從也。」

一一・二五　子路使子羔為費宰。子曰：「賊夫人之子。」子路曰：「有民人焉，有社稷焉。何必讀書，然後為學？」子曰：「是故惡夫佞者。」

一一・二六　子路、曾皙、冉有、公西華侍坐。

子曰：「以吾一日長乎爾，毋吾以也。居則曰：『不吾知也！』如或知爾，則何以哉？」

子路率爾而對曰：「千乘之國，攝乎大國之間，加之以師旅，因之以饑饉；由也為之，比及三年，可使有勇，且知方也。」

夫子哂之。

「求！爾何如？」

對曰：「方六七十，如五六十，求也為之，比及三年，可使足民。如其禮樂，以俟君子。」

「赤！爾何如？」

對曰：「非曰能之，願學焉。宗廟之事，如會同，端章甫，願為小相焉。」

「點！爾何如？」

鼓瑟希，鏗爾，舍瑟而作。對曰：「異乎三子者之撰！」

子曰：「何傷乎？亦各言其志也。」

曰：「莫春者，春服既成，冠者五六人，童子六七人，浴乎沂，風乎舞雩，詠而歸。」

夫子喟然歎曰：「吾與點也！」

三子者出，曾皙後。曾皙曰：「夫三子者之言何如？」

子曰：「亦各言其志也已矣。」

曰：「夫子何哂由也？」

曰：「為國以禮，其言不讓，是故哂之。」

「唯求則非邦也與？」「安見方六七十如五六十而非邦也者？」

「唯赤則非邦也與？」「宗廟會同，非諸侯而何？赤也為之小，孰能為之大？」

【顏淵第十二】

一二・一 顏淵問仁。子曰：「克己復禮為仁。一日克己復禮，天下歸仁焉。為仁由己，而由人乎哉？」

顏淵曰：「請問其目。」子曰：「非禮勿視，非禮勿聽，非禮勿言，非禮勿動。」

顏淵曰：「回雖不敏，請事斯語矣！」

一二・二 仲弓問仁。子曰：「出門如見大賓，使民如承大祭。己所不欲，勿施於人。在邦無怨，在家無怨。」

仲弓曰：「雍雖不敏，請事斯語矣！」

一二・三 司馬牛問仁。子曰：「仁者，其言也訒。」曰：「其言也訒斯謂之仁已乎？」子曰：「為之難，言之得無訒乎？」

一二・四 司馬牛問君子。子曰：「君子不憂不懼。」曰：「不憂不懼，斯謂之君子已乎？」子曰：「內省不疚，夫何憂何懼？」

一二・五 司馬牛憂曰：「人皆有兄弟，我獨亡！」子夏曰：「商聞之矣：死生有命，富貴在天。君子敬而無失，與人恭而有禮，四海之內，皆兄弟也。君子何患乎無兄弟也？」

一二・六 子張問明。子曰：「浸潤之譖，膚受之愬，不行焉，可謂明也已矣。浸潤之譖，膚受之愬，不行焉，可謂遠也已矣。」

一二・七 子貢問政。子曰：「足食，足兵，民信之矣。」子貢曰：「必不得已而去，於斯三者何先？」曰：「去兵。」子貢曰：「必不得已而去，於斯二者何先？」曰：「去食。自古皆有死，民無信不立。」

一二・八　棘子成曰：「君子質而已矣，何以文為？」子貢曰：「惜乎！夫子之說君子也。駟不及舌。文猶質也，質猶文也。虎豹之鞟猶犬羊之鞟。」

一二・九　哀公問於有若曰：「年饑，用不足，如之何？」有若對曰：「盍徹乎？」曰：「二，吾猶不足，如之何其徹也？」對曰：「百姓足，君孰與不足？百姓不足，君孰與足？」

一二・一〇　子張問崇德、辨惑。子曰：「主忠信，徙義，崇德也。愛之欲其生，惡之欲其死；既欲其生，又欲其死，是惑也。『誠不以富，亦祇以異。』」

一二・一一　齊景公問政於孔子，孔子對曰：「君君、臣臣、父父、子子。」公曰：「善哉！信如君不君，臣不臣、父不父、子不子，雖有粟，吾得而食諸？」

一二・一二　子曰：「片言可以折獄者，其由也與！」子路無宿諾。

一二・一三　子曰：「聽訟，吾猶人也。必也使無訟乎！」

一二・一四　子張問政。子曰：「居之無倦，行之以忠。」

一二・一五　子曰：「博學於文，約之以禮，亦可以弗畔矣夫！」

一二・一六　子曰：「君子成人之美，不成人之惡；小人反是。」

一二・一七　季康子問政於孔子。孔子對曰：「政者，正也。子帥以正，孰敢不正？」

一二・一八　季康子患盜，問於孔子。孔子對曰：「苟子之不欲，雖賞之不竊。」

一二・一九　季康子問政於孔子曰：「如殺無道，以就有道，何如？」孔子對曰：「子為政，焉用殺？子欲善而民善矣！君子之德，風；小人之德，草；草上之風，必偃。」

一二・二〇　子張問：「士人何如斯可謂之達矣？」子曰：「何哉，爾所謂達者？」子張對曰：「在邦必聞，在家必聞。」子曰：「是聞也，非達也。夫達也者，質直而好義，察言而觀色，慮以下人。在邦必達，在家必達。夫聞也者，色取仁而行違，居之不疑。在邦必聞，在家必聞。」

一二・二一　樊遲從遊於舞雩之下，曰：「敢問崇德、修慝、辨惑。」子曰：「善哉問！先事後得，非崇德與？攻其惡，無攻人之惡，非修慝與？一朝之忿，忘其身以及其親，非惑與？」

一二・二二　樊遲問仁。子曰：「愛人。」問知。子曰：「知人。」樊遲未達。子曰：「舉直錯諸枉，能使枉者直。」樊遲退，見子夏，曰：「鄉也吾見於夫子而問知，子曰：『舉直錯諸枉，能使枉者直。』何謂也？」

一二・二三 子夏曰：「富哉言乎！舜有天下，選於眾，舉皋陶，不仁者遠矣。湯有天下，選於眾，舉伊尹，不仁者遠矣。」

子貢問友。子曰：「忠告而善道之，不可則止，毋自辱焉。」

一二・二四 曾子曰：「君子以文會友，以友輔仁。」

【子路第十三】

一三・一 子路問政。子曰：「先之，勞之。」請益，曰：「無倦。」

一三・二 仲弓為季氏宰，問政。子曰：「先有司，赦小過，舉賢才。」曰：「焉知賢才而舉之？」子曰：「舉爾所知。爾所不知，人其舍諸？」

一三・三 子路曰：「衛君待子而為政，子將奚先？」

子曰：「必也正名乎！」

子路曰：「有是哉，子之迂也！奚其正？」

子曰：「野哉，由也！君子於其所不知，蓋闕如也。名不正，則言不順；言不順，則事不成；事不成，則禮樂不興；禮樂不興，則刑罰不中；刑罰不中，則民無所措手足。故君子名之必可言也，言之必可行也。君子於其言，無所苟而已矣！」

一三・四　樊遲請學稼。子曰：「吾不如老農。」請學為圃。曰：「吾不如老圃。」樊遲出。子曰：「小人哉，樊須也！上好禮，則民莫敢不敬；上好義，則民莫敢不服；上好信，則民莫敢不用情。夫如是，則四方之民襁負其子而至矣，焉用稼？」

一三・五　子曰：「誦詩三百，授之以政，不達；使於四方，不能專對；雖多，亦奚以為？」

一三・六　子曰：「其身正，不令而行；其身不正，雖令不從。」

一三・七　子曰：「魯衛之政，兄弟也。」

一三・八　子謂衛公子荊：「善居室。始有，曰：『苟合矣！』少有，曰：『苟完矣。』富有，曰：『苟美矣。』」

一三・九　子適衛，冉有僕。子曰：「庶矣哉！」冉有曰：「既庶矣，又何加焉？」曰：「富之。」

曰：「既富矣，又何加焉？」曰：「教之。」

一三・一〇　子曰：「苟有用我者，期月而已可也，三年有成。」

一三・一一　子曰：「『善人為邦百年，亦可以勝殘去殺矣。』誠哉是言也！」

一三・一二　子曰：「如有王者，必世而後仁。」

一三・一三　子曰：「苟正其身矣，於從政乎何有？不能正其身，如正人何！」

一三・一四　冉子退朝。子曰：「何晏也？」對曰：「有政。」子曰：「其事也。如有政，雖不吾以，吾其與聞之。」

一三・一五　定公問：「一言而可以興邦，有諸？」孔子對曰：「言不可以若是其幾也。人之言曰：『為君難，為臣不易。』如知為君之難也，不幾乎一言而興邦乎！」曰：「一言而喪邦，有諸？」孔子對曰：「言不可以若是其幾也。人之言曰：『予無樂乎為君。唯其言而莫予違也。』如其善而莫之違也，不亦善乎！如不善而莫之違也，不幾乎一言而喪邦乎！」

一三・一六　葉公問政。子曰：「近者說，遠者來。」

一三・一七　子夏為莒父宰，問政。子曰：「無欲速，無見小利。欲速則不達，見小利則大事不成。」

一三・一八　葉公語孔子曰：「吾黨有直躬者，其父攘羊，而子證之。」孔子曰：「吾黨之直者異於是。父為子隱，子為父隱，直在其中矣。」

一三・一九　樊遲問仁。子曰：「居處恭，執事敬，與人忠；雖之夷狄，不可棄也。」

一三・二〇　子貢問曰：「何如斯可謂之士矣？」子曰：「行己有恥，使於四方，不辱君命，可謂士矣。」曰：「敢問其次。」曰：「宗族稱孝焉，鄉黨稱弟焉。」曰：「敢問其次。」曰：「言必信，行必果，硜硜然小人哉！抑亦可以為次矣。」曰：「今之從政者何如？」子曰：「噫！斗筲之人，何足算也！」

一三・二一　子曰：「不得中行而與之，必也狂狷乎！狂者進取，狷者有所不為也。」

一三・二二　子曰：「南人有言曰：『人而無恆，不可以作巫醫。』善夫！」「不恆其德，或承之羞。」子曰：「不占而已矣。」

一三・二三　子曰：「君子和而不同，小人同而不和。」

一三・二四　子貢問曰：「鄉人皆好之，何如？」子曰：「未可也。」

「鄉人皆惡之，何如？」子曰：「未可也。不如鄉人之善者好之，其不善者惡之。」

一三・二五　子曰：「君子易事而難說也。說之不以道，不說也；及其使人也，器之。小人難事而易說也。說之雖不以道，說也；及其使人也，求備焉。」

一三・二六　子曰：「君子泰而不驕，小人驕而不泰。」

一三・二七　子曰：「剛、毅、木、訥，近仁。」

一三・二八　子路問曰：「何如斯可謂之士矣？」子曰：「切切，偲偲，怡怡如也，可謂士矣。朋友切切偲偲，兄弟怡怡。」

一三・二九　子曰：「善人教民七年，亦可以即戎矣。」

一三・三〇　子曰：「以不教民戰，是謂棄之。」

【憲問第十四】

一四・一　憲問恥。子曰：「邦有道，穀；邦無道，穀，恥也。」「克、伐、怨、欲不行焉，可以為仁矣？」子曰：「可以為難矣，仁則吾不知也。」

一四・二　子曰：「士而懷居，不足以為士矣！」

一四・三　子曰：「邦有道，危言危行；邦無道，危行言孫。」

一四・四　子曰：「有德者必有言，有言者不必有德；仁者必有勇，勇者不必有仁。」

一四・五　南宮适問於孔子曰：「羿善射，奡盪舟，俱不得其死然。禹、稷躬稼，而有天下。」夫子不答。

南宮适出。子曰：「君子哉若人！尚德哉若人！」

一四・六　子曰：「君子而不仁者有矣夫，未有小人而仁者也。」

一四・七　子曰：「愛之，能勿勞乎？忠焉，能勿誨乎？」

一四・八　子曰：「為命，裨諶草創之，世叔討論之，行人子羽脩飾之，東里子產潤色之。」

一四・九　或問子產。子曰：「惠人也。」

問子西。曰：「彼哉！彼哉！」

問管仲。曰：「人也。奪伯氏騈邑三百，飯疏食，沒齒無怨言。」

一四・一〇　子曰：「貧而無怨難，富而無驕易。」

一四・一一　子曰：「孟公綽為趙魏老則優，不可以為滕薛大夫。」

一四・一二　子路問成人。子曰：「若臧武仲之知，公綽之不欲，卞莊子之勇，冉求之藝，文之以禮樂，亦可以為成人矣。」曰：「今之成人者何必然？見利思義，見危授命，久要不忘平生之言，亦可以為成人矣。」

一四・一三　子問公叔文子於公明賈曰：「信乎？夫子不言、不笑、不取乎？」公明賈對曰：「以告者過也。夫子時然後言，人不厭其言；樂然後笑，人不厭其笑；義然後取，人不厭其取。」子曰：「其然，豈其然乎？」

一四・一四　子曰：「臧武仲以防求為後於魯，雖曰不要君，吾不信也。」

一四・一五　子曰：「晉文公譎而不正，齊桓公正而不譎。」

一四・一六　子路曰：「桓公殺公子糾，召忽死之，管仲不死。」曰：「未仁乎？」子曰：「桓公九合諸侯，不以兵車，管仲之力也。如其仁！如其仁！」

一四・一七　子貢曰：「管仲非仁者與？桓公殺公子糾，不能死，又相之。」子曰：「管仲相桓公，霸諸侯，一匡天下，民到於今受其賜。微管仲，吾其被髮左衽矣！豈若匹夫匹婦之為諒也，自經於溝瀆而莫之知也。」

一四・一八　公叔文子之臣大夫僎與文子同升諸公。子聞之曰：「可以為文矣。」

一四・一九 子言衛靈公之無道也，康子曰：「夫如是，奚而不喪？」孔子曰：「仲叔圉治賓客，祝鮀治宗廟，王孫賈治軍旅。夫如是，奚其喪？」

一四・二〇 子曰：「其言之不怍，則為之也難！」

一四・二一 陳成子弒簡公。孔子沐浴而朝，告於哀公曰：「陳恆弒其君，請討之。」公曰：「告夫三子！」

孔子曰：「以吾從大夫之後，不敢不告也。君曰『告夫三子』者。」

之三子告，不可。孔子曰：「以吾從大夫之後，不敢不告也。」

一四・二二 子路問事君。子曰：「勿欺也，而犯之。」

一四・二三 子曰：「君子上達，小人下達。」

一四・二四 子曰：「古之學者為己，今之學者為人。」

一四・二五 蘧伯玉使人於孔子。孔子與之坐而問焉，曰：「夫子何為？」對曰：「夫子欲寡其過而未能也。」

使者出。子曰：「使乎！使乎！」

一四・二六 子曰：「不在其位，不謀其政。」

曾子曰：「君子思不出其位。」

一四・二七　子曰：「君子恥其言而過其行。」

一四・二八　子曰：「君子道者三，我無能焉：仁者不憂，知者不惑，勇者不懼。」子貢曰：「夫子自道也。」

一四・二九　子貢方人。子曰：「賜也賢乎哉！夫我則不暇。」

一四・三〇　子曰：「不患人之不己知，患其不能也。」

一四・三一　子曰：「不逆詐，不億不信，抑亦先覺者，是賢乎！」

一四・三二　微生畝謂孔子曰：「丘何為是栖栖者與？無乃為佞乎？」孔子曰：「非敢為佞也，疾固也。」

一四・三三　子曰：「驥不稱其力，稱其德也。」

一四・三四　或曰：「以德報怨，何如？」子曰：「何以報德？以直報怨，以德報德。」

一四・三五　子曰：「莫我知也夫！」子貢曰：「何為其莫知子也？」子曰：「不怨天，不尤人；下學而上達。知我者其天乎！」

一四・三六　公伯寮愬子路於季孫。子服景伯以告，曰：「夫子固有惑志，於公伯寮，吾力猶能肆諸市朝。」

子曰：「道之將行也與，命也。道之將廢也與，命也。公伯寮其如命何！」

一四・三七　子曰：「賢者辟世，其次辟地，其次辟色，其次辟言。」子曰：「作者七人矣。」

一四・三八　子路宿於石門。晨門曰：「奚自？」子路曰：「自孔氏。」曰：「是知其不可而為之者與？」

一四・三九　子擊磬於衛。有荷蕢而過孔氏之門者，曰：「有心哉！擊磬乎！」既而曰：「鄙哉！硜硜乎！莫己知也，斯己而已矣。深則厲，淺則揭。」

子曰：「果哉！末之難矣。」

一四・四〇　子張曰：「書云：『高宗諒陰，三年不言。』何謂也？」子曰：「何必高宗？古之人皆然。君薨，百官總己以聽於冢宰三年。」

一四・四一　子曰：「上好禮，則民易使也。」

一四・四二　子路問君子。子曰：「修己以敬。」曰：「如斯而已乎？」曰：「修己以安人。」曰：「如斯而已乎？」曰：「修己以安百姓。修己以安百姓，堯、舜其猶病諸！」

一四・四三　原壤夷俟。子曰：「幼而不孫弟，長而無述焉，老而不死，是為賊！」以杖叩其脛。

一四・四四　闕黨童子將命。或問之曰：「益者與？」子曰：「吾見其居於位也，見其與先生

並行也。非求益者也，欲速成者也。」

【衛靈公第十五】

一五・一　衛靈公問陳於孔子。孔子對曰：「俎豆之事，則嘗聞之矣；軍旅之事，未之學也。」明日遂行。

一五・二　在陳絕糧，從者病，莫能興。子路慍見曰：「君子亦有窮乎？」子曰：「君子固窮，小人窮斯濫矣。」

一五・三　子曰：「賜也，女以予為多學而識之者與？」對曰：「然，非與？」曰：「非也。予一以貫之。」

一五・四　子曰：「由！知德者鮮矣。」

一五・五　子曰：「無為而治者，其舜也與！夫何為哉？恭己正南面而已矣。」

一五・六　子張問行。子曰：「言忠信，行篤敬，雖蠻貊之邦，行矣；言不忠信，行不篤敬，雖州里，行乎哉？立，則見其參於前也；在輿，則見其倚於衡也。夫然後行！」子張書諸紳。

一五・七　子曰：「直哉史魚！邦有道，如矢；邦無道，如矢。君子哉蘧伯玉！邦有道，則仕；邦無道，則可卷而懷之。」

一五・八　子曰：「可與言而不與之言，失人；不可與言而與之言，失言。知者不失人，亦不失言。」

一五・九　子曰：「志士仁人，無求生以害仁，有殺身以成仁。」

一五・一〇　子貢問為仁。子曰：「工欲善其事，必先利其器。居是邦也，事其大夫之賢者，友其士之仁者。」

一五・一一　顏淵問為邦。子曰：「行夏之時，乘殷之輅，服周之冕，樂則〈韶〉舞。放鄭聲，遠佞人。鄭聲淫，佞人殆。」

一五・一二　子曰：「人無遠慮，必有近憂。」

一五・一三　子曰：「已矣乎！吾未見好德如好色者也。」

一五・一四　子曰：「臧文仲其竊位者與？知柳下惠之賢而不與立也。」

一五・一五　子曰：「躬自厚而薄責於人，則遠怨矣！」

一五・一六　子曰：「不曰『如之何、如之何』者，吾末如之何也已矣。」

一五・一七　子曰：「群居終日，言不及義，好行小慧，難矣哉！」

一五・一八　子曰：「君子義以為質，禮以行之，孫以出之，信以成之。君子哉！」

一五・一九　子曰：「君子病無能焉，不病人之不己知也。」

一五・二〇　子曰：「君子疾沒世而名不稱焉。」

一五・二一　子曰：「君子求諸己，小人求諸人。」

一五・二二　子曰：「君子矜而不爭，群而不黨。」

一五・二三　子曰：「君子不以言舉人，不以人廢言。」

一五・二四　子貢問曰：「有一言而可以終身行之者乎？」子曰：「其恕乎！己所不欲，勿施於人。」

一五・二五　子曰：「吾之於人也，誰毀誰譽？如有所譽者，其有所試矣。斯民也，三代之所以直道而行也。」

一五・二六　子曰：「吾猶及史之闕文也，有馬者借人乘之。今亡矣夫！」

一五・二七　子曰：「巧言亂德。小不忍則亂大謀。」

一五・二八　子曰：「眾惡之，必察焉；眾好之，必察焉。」

一五・二九　子曰：「人能弘道，非道弘人。」

一五・三〇　子曰：「過而不改，是謂過矣。」

一五・三一　子曰：「吾嘗終日不食，終夜不寢，以思，無益，不如學也。」

一五・三二　子曰：「君子謀道不謀食。耕也，餒在其中矣；學也，祿在其中矣。君子憂道不憂貧。」

一五・三三　子曰：「知及之，仁不能守之，雖得之，必失之。知及之，仁能守之，不莊以涖之，則民不敬。知及之，仁能守之，莊以涖之，動之不以禮，未善也。」

一五・三四　子曰：「君子不可小知而可大受也，小人不可大受而可小知也。」

一五・三五　子曰：「民之於仁也，甚於水火。水火，吾見蹈而死者矣，未見蹈仁而死者也。」

一五・三六　子曰：「當仁，不讓於師。」

一五・三七　子曰：「君子貞而不諒。」

一五・三八　子曰：「事君，敬其事而後其食。」

一五・三九　子曰：「有教無類。」

一五・四〇　子曰：「道不同，不相為謀。」

一五・四一　子曰：「辭達而已矣。」

一五・四二　師冕見，及階，子曰：「階也。」及席，子曰：「席也。」皆坐，子告之曰：「某在斯，某在斯。」

師冕出。子張問曰：「與師言之道與？」子曰：「然。固相師之道也。」

【季氏第十六】

一六・一

季氏將伐顓臾。冉有、季路見於孔子，曰：「季氏將有事於顓臾。」

孔子曰：「求！無乃爾是過與？夫顓臾，昔者先王以為東蒙主，且在邦域之中矣，是社稷之臣也。何以伐為？」

冉有曰：「夫子欲之，吾二臣者皆不欲也。」

孔子曰：「求！周任有言曰：『陳力就列，不能者止。』危而不持，顛而不扶，則將焉用彼相矣？且爾言過矣，虎兕出於柙，龜玉毀於櫝中，是誰之過與？」

冉有曰：「今夫顓臾，固而近於費。今不取，後世必為子孫憂。」

孔子曰：「求！君子疾夫舍曰欲之而必為之辭。丘也聞有國有家者，不患貧而患不均，不患寡而患不安。蓋均無貧，和無寡，安無傾。夫如是，故遠人不服，則修文德以來之。既來之，則安之。今由與求也，相夫子，遠人不服，而不能來也；邦分崩離析，而不能守也；而謀動干戈於邦內。吾恐季孫之憂，不在顓臾，而在蕭牆之內也。」

一六・二　孔子曰：「天下有道，則禮樂征伐自天子出；天下無道，則禮樂征伐自諸侯出。自諸侯出，蓋十世希不失矣；自大夫出，五世希不失矣；陪臣執國命，三世希不失矣。天下有道，則政不在大夫。天下有道，則庶人不議。」

一六・三　孔子曰：「祿之去公室五世矣，政逮於大夫四世矣，故夫三桓之子孫微矣。」

一六・四　孔子曰：「益者三友，損者三友：友直，友諒，友多聞，益矣；友便辟，友善柔，友便佞，損矣。」

一六・五　孔子曰：「益者三樂，損者三樂。樂節禮樂，樂道人之善，樂多賢友，益矣；樂驕樂，樂佚遊，樂宴樂，損矣。」

一六・六　孔子曰：「侍於君子有三愆：言未及之而言謂之躁，言及之而不言謂之隱，未見顏色而言謂之瞽。」

一六・七　孔子曰：「君子有三戒：少之時，血氣未定，戒之在色；及其壯也，血氣方剛，戒之在鬥；及其老也，血氣既衰，戒之在得。」

一六・八　孔子曰：「君子有三畏：畏天命，畏大人，畏聖人之言。小人不知天命而不畏也，狎大人，侮聖人之言。」

一六・九　孔子曰：「生而知之者，上也；學而知之者，次也；困而學之，又其次也。困而不學，民斯為下矣！」

一六・一〇　孔子曰：「君子有九思：視思明，聽思聰，色思溫，貌思恭，言思忠，事思敬，疑思問，忿思難，見得思義。」

一六・一一　孔子曰：「見善如不及，見不善如探湯。吾見其人矣，吾聞其語矣。隱居以求其志，行義以達其道。吾聞其語矣，未見其人也。」

一六・一二　齊景公有馬千駟，死之日，民無德而稱焉。伯夷叔齊餓於首陽之下，民到於今稱之。其斯之謂與？

一六・一三　陳亢問於伯魚曰：「子亦有異聞乎？」

對曰：「未也。嘗獨立，鯉趨而過庭。曰：『學詩乎？』對曰：『未也。』『不學詩，無以言。』鯉退而學詩。他日，又獨立，鯉趨而過庭。曰：『學禮乎？』對曰：『未也。』『不學禮，無以立！』鯉退而學禮。聞斯二者。」

陳亢退而喜曰：「問一得三：聞詩，聞禮，又聞君子之遠其子也。」

一六・一四　邦君之妻，君稱之曰夫人，夫人自稱曰小童；邦人稱之曰君夫人；稱諸異邦曰寡小君；異邦人稱之，亦曰君夫人。

【陽貨第十七】

一七・一　陽貨欲見孔子，孔子不見，歸孔子豚。孔子時其亡也，而往拜之，遇諸塗。謂孔子曰：「來！予與爾言。」曰：「懷其寶而迷其邦，可謂仁乎？」曰：「不可。好從事而亟失時，可謂知乎？」曰：「不可。日月逝矣，歲不我與。」孔子曰：「諾。吾將仕矣。」

一七・二　子曰：「性相近也，習相遠也。」

一七・三　子曰：「唯上知與下愚不移。」

一七・四　子之武城，聞弦歌之聲。夫子莞爾而笑曰：「割雞焉用牛刀？」子游對曰：「昔者偃也聞諸夫子曰：『君子學道則愛人，小人學道則易使也。』」子曰：「二三子！偃之言是也。前言戲之耳！」

一七・五　公山弗擾以費畔，召，子欲往。子路不說，曰：「末之也，已，何必公山氏之之也？」子曰：「夫召我者而豈徒哉？如有用我者，吾其為東周乎！」

一七・六 子張問仁於孔子。孔子曰：「能行五者於天下，為仁矣。」「請問之。」曰：「恭，寬，信，敏，惠。恭則不侮，寬則得眾，信則人任焉，敏則有功，惠則足以使人。」

一七・七 佛肸召，子欲往。子路曰：「昔者由也聞諸夫子曰：『親於其身為不善者，君子不入也。』佛肸以中牟畔，子之往也，如之何？」子曰：「然。有是言也。不曰堅乎，磨而不磷；不曰白乎，涅而不緇。吾豈匏瓜也哉？焉能繫而不食？」

一七・八 子曰：「由也，女聞六言六蔽矣乎？」對曰：「未也。」「居！吾語女。好仁不好學，其蔽也愚；好知不好學，其蔽也蕩；好信不好學，其蔽也賊；好直不好學，其蔽也絞；好勇不好學，其蔽也亂；好剛不好學，其蔽也狂。」

一七・九 子曰：「小子何莫學夫詩？詩可以興，可以觀，可以群，可以怨。邇之事父，遠之事君。多識於鳥獸草木之名。」

一七・一〇 子謂伯魚曰：「女為周南、召南矣乎？人而不為周南、召南，其猶正牆面而立也與！」

一七・一一　子曰：「禮云禮云，玉帛云乎哉？樂云樂云，鐘鼓云乎哉？」

一七・一二　子曰：「色厲而內荏，譬諸小人，其猶穿窬之盜也與？」

一七・一三　子曰：「鄉原，德之賊也！」

一七・一四　子曰：「道聽而塗說，德之棄也！」

一七・一五　子曰：「鄙夫可與事君也與哉？其未得之也，患得之；既得之，患失之。苟患失之，無所不至矣。」

一七・一六　子曰：「古者民有三疾，今也或是之亡也。古之狂也肆，今之狂也蕩；古之矜也廉，今之矜也忿戾；古之愚也直，今之愚也詐而已矣。」

一七・一七　子曰：「巧言令色，鮮矣仁。」

一七・一八　子曰：「惡紫之奪朱也，惡鄭聲之亂雅樂也，惡利口之覆邦家者。」

一七・一九　子曰：「予欲無言。」子貢曰：「子如不言，則小子何述焉？」子曰：「天何言哉？四時行焉，百物生焉。天何言哉？」

一七・二〇　孺悲欲見孔子，孔子辭以疾。將命者出戶，取瑟而歌，使之聞之。

一七・二一　宰我問：「三年之喪，期已久矣。君子三年不為禮，禮必壞；三年不為樂，樂必

崩。舊穀既沒，新穀既升，鑽燧改火，期可已矣。」

子曰：「食夫稻，衣夫錦，於女安乎？」

曰：「安。」

「女安，則為之！夫君子之居喪，食旨不甘，聞樂不樂，居處不安，故不為也。今女安，則為之！」

宰我出。子曰：「予之不仁也！子生三年，然後免於父母之懷。夫三年之喪，天下之通喪也。予也有三年之愛於其父母乎？」

一七・二二　子曰：「飽食終日，無所用心，難矣哉！不有博弈者乎？為之猶賢乎已。」

一七・二三　子路曰：「君子尚勇乎？」子曰：「君子義以為上。君子有勇而無義為亂，小人有勇而無義為盜。」

一七・二四　子貢曰：「君子亦有惡乎？」子曰：「有惡，惡稱人之惡者，惡居下流而訕上者，惡勇而無禮者，惡果敢而窒者。」

曰：「賜也亦有惡乎？」「惡徼以為知者，惡不孫以為勇者，惡訐以為直者。」

一七・二五　子曰：「唯女子與小人為難養也，近之則不孫，遠之則怨。」

一七・二六　子曰：「年四十而見惡焉，其終也已。」

【微子第十八】

一八・一　微子去之，箕子為之奴，比干諫而死。孔子曰：「殷有三仁焉。」

一八・二　柳下惠為士師，三黜。人曰：「子未可以去乎？」曰：「直道而事人，焉往而不三黜？枉道而事人，何必去父母之邦？」

一八・三　齊景公待孔子，曰：「若季氏，則吾不能；以季、孟之間待之。」曰：「吾老矣，不能用也。」孔子行。

一八・四　齊人歸女樂，季桓子受之，三日不朝。孔子行。

一八・五　楚狂接輿歌而過孔子曰：「鳳兮！鳳兮！何德之衰？往者不可諫，來者猶可追。已而！已而！今之從政者殆而！」

孔子下，欲與之言。趨而辟之，不得與之言。

一八・六　長沮、桀溺耦而耕，孔子過之，使子路問津焉。

長沮曰：「夫執輿者為誰？」

子路曰：「為孔丘。」

曰：「是魯孔丘與？」

曰：「是也。」

曰：「是知津矣。」

問於桀溺。

桀溺曰：「子為誰？」

曰：「為仲由。」

曰：「是魯孔丘之徒與？」

對曰：「然。」

曰：「滔滔者天下皆是也，而誰以易之？且而與其從辟人之士也，豈若從辟世之士哉？」耰而不輟。

子路行以告。

夫子憮然曰：「鳥獸不可與同群，吾非斯人之徒與而誰與？天下有道，丘不與易也。」

一八・七

子路從而後，遇丈人，以杖荷蓧。

子路問曰：「子見夫子乎？」

丈人曰：「四體不勤，五穀不分，孰為夫子？」植其杖而芸。子路拱而立。止子路宿，殺雞為黍而食之，見其二子焉。明日，子路行以告。子曰：「隱者也。」使子路反見之。至，則行矣。子路曰：「不仕無義。長幼之節，不可廢也；君臣之義，如之何其廢之？欲潔其身，而亂大倫。君子之仕也，行其義也。道之不行，已知之矣。」

一八·八 逸民：伯夷、叔齊、虞仲、夷逸、朱張、柳下惠、少連。子曰：「不降其志，不辱其身，伯夷、叔齊與！」謂：「柳下惠、少連，降志辱身矣。言中倫，行中慮，其斯而已矣。」謂：「虞仲、夷逸，隱居放言。身中清，廢中權。我則異於是，無可無不可。」

一八·九 大師摯適齊，亞飯干適楚，三飯繚適蔡，四飯缺適秦。鼓方叔入於河，播鼗武入於漢，少師陽、擊磬襄入於海。

一八·一〇 周公謂魯公曰：「君子不施其親，不使大臣怨乎不以。故舊無大故，則不棄也。無求備於一人。」

一八・一一　周有八士：伯達、伯适、仲突、仲忽、叔夜、叔夏、季隨、季騧。

【子張第十九】

一九・一　子張曰：「士見危致命，見得思義，祭思敬，喪思哀，其可已矣。」

一九・二　子張曰：「執德不弘，信道不篤，焉能為有？焉能為亡？」

一九・三　子夏之門人問交於子張。子張曰：「子夏云何？」
對曰：「子夏曰：『可者與之，其不可者拒之。』」
子張曰：「異乎吾所聞，君子尊賢而容眾，嘉善而矜不能。我之大賢與，於人何所不容？我之不賢與，人將拒我，如之何其拒人也？」

一九・四　子夏曰：「雖小道，必有可觀者焉；致遠恐泥，是以君子不為也。」

一九・五　子夏曰：「日知其所亡，月無忘其所能，可謂好學也已矣。」

一九・六　子夏曰：「博學而篤志，切問而近思，仁在其中矣。」

一九・七　子夏曰：「百工居肆以成其事，君子學以致其道。」

一九・八　子夏曰：「小人之過也必文。」

一九・九　子夏曰：「君子有三變：望之儼然，即之也溫，聽其言也厲。」

一九・一〇　子夏曰：「君子信而後勞其民，未信，則以為厲己也；信而後諫，未信，則以為謗己也。」

一九・一一　子夏曰：「大德不踰閑，小德出入可也。」

一九・一二　子游曰：「子夏之門人小子，當洒掃、應對、進退，則可矣，抑末也。本之則無，如之何？」

子夏聞之，曰：「噫！言游過矣！君子之道，孰先傳焉？孰後倦焉？譬諸草木，區以別矣。君子之道，焉可誣也？有始有卒者，其惟聖人乎！」

一九・一三　子夏曰：「仕而優則學，學而優則仕。」

一九・一四　子游曰：「喪致乎哀而止。」

一九・一五　子游曰：「吾友張也，為難能也。然而未仁。」

一九・一六　曾子曰：「堂堂乎張也，難與並為仁矣。」

一九・一七　曾子曰：「吾聞諸夫子：人未有自致者也，必也親喪乎！」

一九・一八　曾子曰：「吾聞諸夫子：孟莊子之孝也，其他可能也，其不改父之臣與父之政，是難能也。」

一九・一九 孟氏使陽膚為士師。問於曾子，曾子曰：「上失其道，民散久矣。如得其情，則哀矜而勿喜。」

一九・二〇 子貢曰：「紂之不善，不如是之甚也。是以君子惡居下流，天下之惡皆歸焉。」

一九・二一 子貢曰：「君子之過也，如日月之食焉：過也，人皆見之；更也，人皆仰之。」

一九・二二 衛公孫朝問於子貢曰：「仲尼焉學？」子貢曰：「文、武之道，未墜於地，在人。賢者識其大者，不賢者識其小者。莫不有文、武之道焉。夫子焉不學？而亦何常師之有？」

一九・二三 叔孫武叔語大夫於朝，曰：「子貢賢於仲尼。」子服景伯以告子貢。子貢曰：「譬之宮牆，賜之牆也及肩，窺見室家之好。夫子之牆數仞，不得其門而入，不見宗廟之美、百官之富。得其門者或寡矣。夫子之云，不亦宜乎！」

一九・二四 叔孫武叔毀仲尼。子貢曰：「無以為也！仲尼不可毀也。他人之賢者，丘陵也，猶可踰也；仲尼，日月也，無得而踰焉。人雖欲自絕，其何傷於日月乎？多見其不知量也！」

一九・二五 陳子禽謂子貢曰：「子為恭也，仲尼豈賢於子乎？」

子貢曰：「君子一言以為知，一言以為不知，言不可不慎也。夫子之不可及也，猶天之不可階而升也。夫子之得邦家者，所謂立之斯立，道之斯行，綏之斯來，動之斯和。其生也榮，其死也哀。如之何其可及也！」

【堯曰第二十】

二〇・一

堯曰：「咨！爾舜！天之曆數在爾躬，允執其中。四海困窮，天祿永終。」

舜亦以命禹。

曰：「予小子履，敢用玄牡，敢昭告于皇皇后帝：有罪不敢赦。帝臣不蔽，簡在帝心。朕躬有罪，無以萬方；萬方有罪，罪在朕躬。」

周有大賚，善人是富。「雖有周親，不如仁人。百姓有過，在予一人。」

謹權量，審法度，修廢官，四方之政行焉。興滅國，繼絕世，舉逸民，天下之民歸心焉。

所重：民、食、喪、祭。

寬則得眾，信則民任焉，敏則有功，公則說。

二〇・二

子張問於孔子曰：「何如斯可以從政矣？」

子曰：「尊五美，屏四惡，斯可以從政矣。」

子張曰：「何謂五美？」

子曰：「君子惠而不費，勞而不怨，欲而不貪，泰而不驕，威而不猛。」

子張曰：「何謂惠而不費？」

子曰：「因民之所利而利之，斯不亦惠而不費乎！擇可勞而勞之，又誰怨？欲仁而得仁，又焉貪？君子無眾寡，無大小，無敢慢，斯不亦泰而不驕乎！君子正其衣冠，尊其瞻視，儼然人望而畏之，斯不亦威而不猛乎！」

子張曰：「何謂四惡？」

子曰：「不教而殺謂之虐；不戒視成謂之暴；慢令致期謂之賊；猶之與人也，出納之吝謂之有司。」

二〇・三

孔子曰：「不知命，無以為君子也。不知禮，無以立也。不知言，無以知人也。」

《論語》的溫度

——代後記

◎于丹

書稿託付中華書局，心裡有七分安頓三分忐忑。從二十一歲讀先秦文學碩士開始，幾乎泡在中華版的書堆裡長大，不敢奢望有一天在中華書局出自己的一本書，就如同從來不敢妄想自己敢站在電視螢幕裡談談《論語》的話題。

對《論語》的情感，一向是「敬」而不「畏」；對《論語》的感覺，從來是樸素而溫暖。

在北方一個以溫泉著稱的小城裡，曾經見過一口奇特的「問病泉」，據說任何人舒舒服服地泡進去，一下子就感知到自己身體的病灶所在：有關節炎的人四肢關節就會麻酥酥有了感覺，有腸胃病的人腸胃間就會火辣辣湧起熱流，而有皮膚病的人則周身通泰，洗掉一層，蟬蛻一般……

我眼中的《論語》，就是這樣溫暖的活水泉。

以我的學養和閱歷，真要做《論語》的講解和辨析，萬萬不敢。那就像是讓我去做這溫泉的化學成分分析一樣，我沒有能力拿出一份精準的化驗報告。我所能擔承的角色只是一個體驗者，以身體之，以血驗之，像兩千多年中數以千萬計泡過這溫泉的人一樣，用自己的身體最敏感的病灶去承受溫泉的恩惠。

仁者見其仁，智者見其智。經典的價值或許並不在於令人敬畏到頂禮膜拜，而恰恰在於它的包容與流動，可以讓千古人群溫暖地浸潤其中，在每一個生命個體中，以不同的感悟延展了殊途同歸的價值。所謂「道不遠人」，大概如此。

我眼中真正的聖賢從來不拎著晦澀艱深的典故嚇唬人，也從來不堆砌出詰屈聱牙的言語麻煩人。孔子說：「予欲無言。」子貢慌慌地問：「子如不言，則小子何述焉？」孔子益發淡定，說：「天何言哉？四時行焉，百物生焉。天何言哉？」

這個世界上的簡單真理之所以深入人心，是因為它們從不表現為一種外在的灌輸，而是對於每個心靈內在的喚醒。

《論語》中的簡單真理之所以穿越千古塵埃，正緣於它能讓後世子子孫孫在日益繁盛而迷惑的物質文明中，得以秉持民族的根性，不至於因為可供選擇的機會過多而倉皇。

受益的人也許「覺」在某一刻，怦然心動，醍醐灌頂；也許「悟」在漫漫歲月，用一生的歷練完成一次不可複製的解讀。

真的要感謝「百家講壇」，用「心得」這個角度鼓勵我走近《論語》。千顆心有千種所得，萬顆心有萬種所得，而我只不過是其中的一心之得。我們在當下的生活解讀中豁然開朗，聖人在千古之前應該會緘默微笑。

古有「半部《論語》治天下」之說，那是將《論語》奉為中國文化思想的淵源；而我寧願說「半部《論語》修自身」，人人皆可視之為溫暖的「問病泉」。

可以得之於心的《論語》，不是被漢武帝罷黜了百家之後刻意獨尊的「儒術」，不是與「道」「釋」並稱儀式莊嚴的「儒教」，不是被窮究義理囿於考據的「儒學」。

可以得之於心的《論語》，是每個人心中有而口中無的簡單真理。

所以，我看《論語》的溫度，不燙手，亦不冰冷，略高於體溫，千古恆常。

二〇〇六年十一月十六日子夜

于丹《論語》心得

2007年4月初版　　定價：新臺幣199元
2007年5月初版第七刷

著者　于丹
發行人　林載爵

叢書主編　簡美玉
校對　高玉梅
封面設計　翁國鈞

出版者　聯經出版事業股份有限公司
台北市忠孝東路四段555號
編輯部地址：台北市忠孝東路四段561號4樓
叢書主編電話：(02)27634300轉5049
台北發行所地址：台北縣汐止市大同路一段367號
電話：(02)26418661
台北忠孝門市地址：台北市忠孝東路四段561號1-2樓
電話：(02)27683708
台北新生門市地址：台北市新生南路三段94號
電話：(02)23620308
台中門市地址：台中市健行路321號
台中分公司電話：(04)22312023
高雄門市地址：高雄市成功一路363號
電話：(07)2412802
郵政劃撥帳戶第0100559-3號
郵撥電話：26418662
印刷者　文鴻彩色製版印刷有限公司

行政院新聞局出版事業登記證局版臺業字第0130號

本書如有缺頁，破損，倒裝請寄回發行所更換。　ISBN　13：978-957-08-3141-2（平裝）
聯經網址：www.linkingbooks.com.tw
電子信箱：linking@udngroup.com

本書中文繁體字版由中華書局授權出版

國家圖書館出版品預行編目資料

于丹《論語》心得/于丹著．初版．
臺北市．聯經，2007年（民96）
216面；14.8×21公分．
ISBN　978-957-08-3141-2（平裝）
〔2007年5月初版第七刷〕

1.論語-研究與考訂

121.227　　96004707